AFGESCHREVEN

Glee
De uitwisseling

Sophia Lowell

Vertaald door Henriëtte Albregts

Gebaseerd op de succesvolle tv-serie van
Ryan Murphy & Brad Falchuk & Ian Brennan

moon

Lees ook van Sophia Lowell:
Glee – Het begin

Oorspronkelijke titel *Glee – Foreign Exchange*
Copyright © 2011 Twentieth Century Fox Film Corporation
GLEE TM & © Twentieth Century Fox Film Corporation
Nederlandse vertaling © 2011 Henriëtte Albregts en Moon, Amsterdam
Omslagontwerp © Twentieth Century Fox Film Corporation
& Baqup
Opmaak binnenwerk ZetSpiegel, Best

ISBN 978 90 488 1051 2 gebonden editie
ISBN 978 90 488 1095 6 paperback editie
NUR 284

www.moonuitgevers.nl

Moon is een imprint van Dutch Media Uitgevers bv

moon
Dit boek is ook leverbaar als e-book:
ISBN 978 90 488 1082 6

Parkeerterrein van McKinley High, maandagmorgen heel vroeg

Het parkeerterrein van McKinley High School was bijna helemaal verlaten. Zelfs op de parkeerplekken voor docenten stond maar een handjevol auto's van wat overijverige docenten die blindelings op de eerste burn-out van hun onderwijsloopbaan afstevenden. Die nacht was Lima met een witte deken sneeuw bedekt. Het leek alsof het geschraap en gebrom van de sneeuwploeg het enige geluid was dat je in heel Lima, Ohio, kon horen. De megagrote gele sneeuwploeg schoof een verse berg sneeuw voor zich uit over het verlaten parkeerterrein en duwde het op de sneeuwbanken, die nu al grijs waren van het vuil. Het was een ijzige ochtend aan het eind van februari. De eenzame sneeuwploeg was het enige bewegende ding in de koude lege ruimte. Hij werd bestuurd door Bob, de conciërge, die zich dik had ingepakt in een gewatteerde poepbruine overall en oranje wanten droeg die op gigantische ovenwanten leken. Een paar rillende vogels zaten op de telefoondraden en hadden waarschijnlijk spijt dat ze niet naar een warmer klimaat waren getrokken.

'Dit is te erg,' zei Kurt Hummel terwijl hij de auto van zijn vader in een van de pas geveegde parkeerplaatsen manoeuvreerde. 'De rest van de wereld is nog niet eens wakker. En mijn *leave-in* conditioner heeft vannacht nauwelijks de tijd gehad om in te werken.'

Mercedes Jones gaapte terwijl ze naar zichzelf keek in het spiegeltje in de zonneklep van de passagiersstoel. Ze hield haar minidoosje oogschaduw vast, streek met het piepkleine popperige kwastje over haar oogleden en liet een lichtblauwe gloed achter. Ze had haar make-up nog niet op toen

Kurt al op haar oprit verscheen. Ze ging dus echt niet make-uploos de dag door. Vooral niet op maandag. 'Ik snap het niet. Waarom moet meneer Schu ons per se zien voordat school begint?'

'Misschien heeft hij ontdekt dat martelen de beste manier is om te voorkomen dat leerlingen inkakken?' Kurt zette de versnelling van de automaat in P maar liet de motor draaien. Hij hield zijn handen, in hun soepele zwartleren handschoenen, voor de verwarming, die warme lucht de auto in blies. Hij vond het koude weer in Ohio best leuk, vooral omdat zijn wintercollectie fantabuleus was, maar zijn gewatteerde jas van Alexander McQueen was helaas eerder esthetisch dan functioneel.

'Kijk!' Mercedes wees naar de vlaggenmast. Als de mast niet werd gebruikt door handige *jocks* om ongelukkige mannen uit de onderbouw omhoog te hijsen aan hun onderbroek en zo een vaderlandslievende *wedgie* te geven, hing er een Amerikaanse vlag aan. Maar geheel in de sfeer van McKinley Highs Multiculturele Week hingen er een paar buitenlandse vlaggen onder de Amerikaanse vlag. 'Is dat niet de Canadese vlag? Dat vind ik een rare cultuur om te onderzoeken en eren, ze lijken toch best wel op ons?'

'Ja, maar ze houden wel meer van socialisme en hockey dan wij.' Kurts ogen keken dromerig terwijl hij fantaseerde over stevige kerels met een vierkante kaak en een gebroken neus die rond raceten op ijsschaatsen en op elkaar ramden tegen de plastic muren van de... hoe heette het ook alweer? Hockeyveld? Court? Nee, ring. 'Ik hoop niet dat de kantine vandaag de keuken van onze lieve noorderburen gaat eren.'

'Wat zouden we dan moeten eten? Canadese spek?' Mercedes haalde haar neus op. Tijdens de Multiculturele Week koos de kantine elke dag een andere cultuur uit om te eren met speciale gerechten. Ze kon zich de Polynesische Dag maar al te goed herinneren van het *freshman* jaar, toen een cateringbedrijf een varken aan het spit naar binnen reed met de sinaasappel nog in zijn bek. Mercedes was daar nog niet overheen en ze kon niet eens denken aan spek – of varkens-vlees, of ham – zonder te kokhalzen.

'God hebbe onze ziel.' Kurt sloeg een kruisje, maar hij was niet katholiek en bakte er niks van. 'Je weet dat meneer Hausler uit zijn dak gaat als hij ziet dat de Amerikaanse vlag zijn nobele plaats moet delen met een andere vlag.' De kalende docent maatschappijleer was een oud-marinier die waakzaam alle rijen af liep tijdens de *Pledge of Allegiance* elk eerste uur van de schooldag om te controleren of al zijn leerlingen elke lettergreep duidelijk – en luid – uitspraken.

Mercedes scande de omgeving voor tekens van leven. De afgeragde auto van meneer Schuester (de uitlaat hing zowaar tot op de grond) stond in de hoek van de voor docenten gereserveerde parkeerplaatsen. Er lag een dun laagje sneeuw op, alsof de auto er al een tijdje stond. 'Serieus, maak je je echt zorgen dat er serieus iets aan de hand is?'

Gisteravond hadden alle leden van de Glee Club een groepsbericht gehad van meneer Schuester met het verzoek om zich vóór het eerste uur bij hem te melden voor een noodbijeenkomst. Zoiets had hij nog nooit gedaan en Kurt en Mercedes hadden elkaar meteen ge-sms't om te bespreken welke catastrofes de oorzaak waren van de extra vroege ochtendbijeenkomst.

'Je hebt net twee keer in dezelfde zin "serieus" gezegd.' Kurts blauwe ogen bestudeerden het bericht op zijn telefoon nog één keer voor aanwijzingen. Het was niets voor meneer Schu om cryptisch te zijn, ook al hield Kurt wel van verrassingen. 'Serieus.'

'Iemand verbeteren op zijn grammatica is een serieuze afknapper.' Mercedes stak haar tong uit naar Kurt en wikkelde haar knalroze sjaal wat strakker om haar hals. De ramen van de auto waren beslagen en ze veegde een mooi rondje schoon in haar raam. Ze kneep haar ogen samen en tuurde naar een blauwe auto die het parkeerterrein op reed. De versleten banden gleden over een glad stuk ijs. 'Finn is er,' kondigde ze aan, toen ze Finns lange lijf in de auto herkende; zijn hoofd kwam bijna tot het dak van zijn auto. Mercedes deed het portier open en liet de ijzige kou naar binnen. 'Even vragen wat hij ervan denkt.'

'Finn staat nou niet bepaald bekend om zijn briljante inzichten,' zei Kurt liefdevol terwijl hij zijn leren koerierstas greep en hem aan zijn schouder hing. Finn staat bekend om andere kwaliteiten, dacht Kurt. Hij is de ster, de *quarterback*, de aanvaller van het basketbalteam, *homecoming king*. Hij heeft prachtige jukbeenderen. Er springen tranen in je ogen als hij 'Faithfully' zingt.

Terwijl Kurt zijn leren enkellaarzen voorzichtig om de grijze sneeuwklonten manoeuvreerde die de sneeuwploeg had achtergelaten, reed een vertrouwd rood busje met gebutste bumpers het terrein op en parkeerde naast Finn. Mercedes wuifde met een knalroze want naar Tina Cohen-Chang, die het stuur vasthield met zwarte handschoenen waar de vingertoppen van waren afgeknipt. 'Hé, girl!' riep Mercedes toen Tina uit het busje stapte. Tina doeg een zelfgebreide muts met flappen over haar oren.

Kurt probeerde het zo te timen dat ze langs Finns auto zouden lopen op het moment dat Finn uitstapte, maar Finn zat met zijn radio te klooien en Kurt moest langs de auto lopen met Mercedes. Een koude wind beet in hun wangen.

'Jij bent niet bepaald je zonnige huppelende zelf vanochtend,' zei Kurt tegen Tina en hij keek achterom bij het geluid van Finns autoportier dat dichtsloeg. Perfecte timing.

Tina knipperde slaperig met haar ogen en hees haar vaalgroene rugzak omhoog. Op de rugzak stonden tekeningen en afbeeldingen van bands. Ondanks haar vermoeide uiterlijk droeg Tina roze oogschaduw en dikke blauwe eyeliner. 'Ik was tot heel laat bezig met het Chinese drakenkostuum.' Tina was lid van de kleine maar enthousiaste Bond Voor Aziatische Leerlingen en ze had aangeboden om ter ere van de Multiculturele Week het antieke drakenkostuum te renoveren dat onlangs uit de opslag was opgegraven. Het papiermaché kostuum was door de tand des tijds gehavend en Tina was met veel moeite de afgescheurde stukken aan het repareren. Haar vingers zaten nog steeds onder de opgedroogde lijm.

'Wat denk je dat er aan de hand is?' hoorden ze Finns diepe stem vragen. In zijn leren collegejas zag hij er niet bepaald uit als iemand die dood gevonden wilde worden met de Glee Club, maar hij was het afgelopen jaar erg veranderd. Hij had altijd gedacht dat hij wist wat hij wilde: goed zijn best doen en een footballbeurs voor een grote universiteit zien te krijgen, football spelen tot zijn knieën het begaven en eindigen met een keurige, saaie maar goedverdienende baan. Geen wereldschokkend plan, dat wist hij ook wel, maar hij kon zich geen andere toekomst indenken. Hij wist één ding heel erg zeker: dat hij voorgoed weg wilde uit Lima.

Maar Glee had hem verrast en ineens een andere toekomst mogelijk gemaakt. Hij had nooit verwacht dat hij lid zou worden van de Glee Club – hij dacht, net als de meerderheid van de mensheid, dat het een roeiclubje was – en toen was hij het leuk gaan vinden. Toen de club de *Sectionals* won was zijn hart bijna ontploft van blijdschap. Hij dacht terug aan hoe hij vorig jaar in de lente een *walk-off home run* had geslagen in de eindwedstrijd tegen Maryvale High, het hoogtepunt van zijn sportcarrière, maar dat had hij lang niet zo fijn gevonden als toen de jury de gigantische gouden Sectionalstrofee had overhandigd aan de McKinley High Glee Club.

'We komen er niet uit of deze noodbijeenkomst goed nieuws of slecht nieuws betekent.' Kurt gluurde naar het knappe gezicht van Finn waar diepe rimpels van bezorgdheid in te lezen waren. Ongeacht de kou was Finn het soort warmbloedige jock dat niet eens een paar handschoenen bezat, laat staan een sjaal. Kurt moest dat wel bewonderen, ook al geloofde hij dat je nooit genoeg accessoires kon hebben.

'Denk je dat het góéd nieuws kan zijn?' Finns gezicht klaarde op terwijl ze samen de trap op renden die net een verse laag pekel had gekregen. Finns wangen waren roze van de kou en zijn haar, dat nog nat van de douche was, bevroor meteen in korte haarijspegels. 'Ik was bang dat hij weer had besloten dat hij accountant ging worden.' Afgelopen herfst had meneer Schuester tijdelijk overwogen zijn baan op McKinley op te zeggen en accountant te worden zodat hij zijn zwangere vrouw beter kon onderhouden. Hij was toch gebleven, wat wel fijn was want de Glee Club had hem echt nodig. En zijn vrouw was toch alleen nepzwanger geweest.

De zware deuren van metaal en glas sloegen achter hen dicht. 'Daar is Artie.' Tina wees naar Artie Abrams, die door de gang vanaf de kantine naar hen toe reed. Daar bevond zich de enige rolstoelingang van de hele school. Ze hoopte dat er pekel op lag. Ze wachtten allemaal in de grote hal zodat Artie hen in kon halen. Ondertussen veegden ze hun voeten op de fabrieksgrote deurmat, die ondanks dat de dag nog niet eens begonnen was, nu al doorweekt leek met grijze sneeuwblubber.

'Heeft iemand gisteren *Pretty Woman* op tv gezien?' vroeg Kurt, terwijl hij zijn koningsblauwe kasjmieren sjaal losmaakte om zijn nek. 'Hij was al drie keer te zien deze maand, maar ik kan het gewoon niet laten.'

'Jij vindt het gewoon leuk om Julia in haar stijlvolle stoephoeroutfit te zien,' plaagde Artie terwijl hij naast hem kwam rijden. Hij had zijn warmste winterjas aan, die zijn moeder zijn ski-jack noemde, hoewel hij nog nooit geskied had. Hij glimlachte flauwtjes naar Tina.

'Tja, ik kan er niks aan doen. Ik bezwijk elke keer weer voor die zwarte nepleren laarzen tot aan haar billen,' zei Kurt terwijl hij naar Finn keek, die een beetje rood aanliep. Finn was erg preuts.

Tina ging naast Artie lopen. De laatste tijd was het... vreemd geweest tussen hen. In de herfst leek het nog of er eindelijk iets ging gebeuren. Artie was de enige jongen op heel McKinley met wie ze zich in een relatie kon voorstellen. Hij was lief en heel grappig. Vergeleken met Artie kwamen alle andere jongens dom of kinderachtig of allebei op haar over. Maar voordat ze echt iets met elkaar kregen, was het vuur ineens uitgeblust, misschien omdat zij erg verlegen was en Artie veel te onzeker. En Artie was ook nog eens heel erg pissig geweest toen hij ontdekte dat Tina's gestotter nep was. Ze waren met elkaar naar het homecomingfeest gegaan, maar dat was alweer zo lang geleden dat Tina zich afvroeg of ze ooit verder zouden komen.

'Het moet haast wel slecht nieuws zijn,' zei Mercedes en ze haalde de blauwe oorwarmers van haar hoofd en propte ze in haar jaszak. Haar camelkleurige Uggs piepten op de schone vloer en het geluid weergalmde door de verlaten gangen van de school. 'Dat hij van gedachten is veranderd en ontwikkelingswerk in Afrika gaat doen of zo.'

'Echt niet.' Arties dikke brillenglazen waren beslagen toen hij naar binnen kwam, het zoveelste nadeel van een bril. Hij had contactlenzen overwogen maar dan namen ze hem vast nog minder serieus. Hij pakte zijn bril en veegde hem schoon aan zijn geruite sjaal. 'Meneer Schu zou ons nooit zomaar in de steek laten. Hij lijkt me trouwens helemaal niet een handen-uit-de-mouwentype. Ik zie hem niet met zijn blote handen een school in elkaar timmeren in een zielig land.'

'Misschien wordt er weer bezuinigd en moeten we het muzieklokaal met het worstelteam delen,' opperde Kurt met opgetrokken wenkbrauwen. 'Misschien kunnen we nog wat *moves* van hen leren.'

'Misschien kapt iemand met de Glee Club? Of gaat er iemand dood aan een obscuur soort kanker die je stembanden vernietigt?' vroeg Finn ineens. Hij hoorde hoe de deuren van de school open klapten en keek achterom naar Matt Rutherford en Mike Chang, footballspelers die net als hij in de herfst lid waren geworden van de Glee Club. Zij waren vaak de laatsten die binnenkwamen.

Finn wilde er niet over beginnen want hij had het gevoel dat hij het altijd over haar had, maar was het niet vreemd dat Rachel er nog niet was? Ook al ging hij niet met haar – althans, niet meer – toch had hij nog steeds een Rachel-radar. Een kamer of een gang leek gewoon anders als zij er

11

was, misschien omdat ze zo'n duidelijke – en luide – aanwezigheid was. Het was alsof hij haar niet uit zijn kop kreeg, hoezeer hij ook zijn best deed.

Alsof ze Finns gedachten kon lezen, vroeg Tina: 'Waar is Rachel?' terwijl ze de gang in liepen naar het muzieklokaal. Rachel wilde altijd als eerste bij een repetitie, bijeenkomst of optreden zijn, en het was vreemd dat ze hen niet buiten het muzieklokaal ongeduldig stond op te wachten, hun een voor een een standje gevend als ze ook maar één minuut te laat waren.

Terwijl ze zich allemaal afvroegen wat er van de Glee Club terecht zou komen zonder Rachel werd het stil in de gang. Je hoorde de hersens kraken, en het gepiep van hun natte schoenen op het linoleum. Finn vroeg zich direct af of ze nu eindelijk had gedaan waar ze maanden geleden mee had gedreigd: naar een school voor zang & dans overstappen waar ze de opleiding kreeg die ze nodig had om een ster te worden.

Maar… dat zou ze hem verteld hebben, toch? Hij kreeg een brok in zijn keel. 'Misschien heeft Rachel wel die rare kanker. Misschien gaat ze wel dood…'

Net toen Kurt zich voorstelde hoe hij eruit zou zien met zijn zwarte gleufhoed op terwijl hij Elton Johns 'Candle in the Wind' zong op Rachels begrafenis, onderbrak Mercedes ruw zijn droom. 'Ik denk niet dat kanker sterk genoeg is om Rachel eronder te krijgen.'

Precies op dat moment hoorde iedereen iets door de muren van het muzieklokaal. 'Ik denk dat er iemand binnen is,' fluisterde Kurt, en hij had het gevoel dat hij in een *Scooby-Doo*-aflevering was beland. Finn was natuurlijk Fred, de heldhaftige alfaman met de brede schouders en verwoestend mooie kaak.

Mercedes rolde met haar ogen. Kurt was soms zo'n *drama queen*. 'Als het een moordenaar met een hakbijl is, ben ik vast het eerste slachtoffer.' Ze pakte de deurklink en duwde hem naar beneden terwijl iedereen achter haar voorzichtig het lokaal in keek.

Rachel, die er allesbehalve dood uitzag in een lichtblauw geruit rokje en witte mohair coltrui waar een grote aardbei op was gebreid, zong een regel uit *Cabaret* en keek ontzettend geconcentreerd. Elke ochtend dronk ze thuis een proteïneshake en sportte ze dertig minuten lang op de crosstrainer, om zichzelf fysiek voor te bereiden op de dag. Maar haar echte, spirituele voorbereiding vond elke dag plaats tijdens haar zangoefeningen in het muzieklokaal. (En er was natuurlijk het feit dat de buren dreigden haar aan te klagen als ze bleef zingen om halfzeven in de ochtend). Ze was dol op nummers van Liza Minelli voor haar ochtendritueel. Als ze die had gezongen, kon ze de dag beter aan. Ze brachten haar in de juiste stemming om de haatdragende medescholieren en de negatievelingen aan te kunnen, en de leerlingen die, ondanks haar succes in Glee, nog steeds *slushies* in haar gezicht gooiden. De vroege zangoefeningen waren een essentieel onderdeel van haar dagelijkse routine en ze zou niet zonder kunnen.

Ze merkte pas dat er iets niet klopte toen het couplet was afgelopen. Ze draaide zich om. In de deuropening stonden haar Glee Club-maatjes haar aan te gapen als een stelletje groupies.

'Wat...' begon ze en ze keek naar de klok aan de muur. 'Wat doen júllie hier? Dit is mijn persoonlijke oefentijd.'

Mercedes' mond viel open. 'Kom jij elke maandag zo vroeg naar school, alleen om nog meer te oefenen?' Ze gooide haar rugzak op een stoel en ritste haar pofjas open. 'Je bent nog maffer dan ik dacht.'

Rachel staarde naar de rugzak alsof die haar persoonlijk bedreigd had. 'Nee, ik oefen hier iédere ochtend.' Ze voelde zich belaagd en sloeg haar armen over elkaar. Dit halve uurtje voordat de school volstroomde met leerlingen was haar eigen heerlijke moment. 'Wat doen jullie hier allemaal?' Ze keek niet langer naar Finn dan strikt noodzakelijk. Ze wilde nog steeds hardvochtig geloven dat ze over hem heen was.

'Heb je meneer Schuesters bericht niet gekregen gisteravond?' vroeg Artie en hij reed naar de voorste rij stoelen in het lokaal. Zijn wielen lieten een vaag spoor van natte sneeuw achter.

'Bericht? Nee.' Rachel keek naar haar telefoon die 'I feel pretty' uit *West Side Story* als ringtone had en piepte bij elk binnenkomend berichtje. 'Ik heb hem gisteravond uit gezet toen ik vroeg naar bed ging, iets wat ik jullie allemaal aanraad omdat het je stembanden de kans geeft om zich te herstellen.' Ze hield haar hoofd fier omhoog.

'Waarom heb je het berichtje dan niet gehoord toen je vanmorgen je telefoon weer aanzette?' Mercedes ging op een van de plastic stoelen zitten en keek Rachel uitdagend aan. Dat kind had een ego zo groot als China en altijd wel een excuus klaar. Mercedes vond het gewoon lekker om haar te stangen.

Rachel keek Mercedes recht in haar ogen. 'Ik denk dat ik door mijn weergaloze talent de piep gewoon niet kon horen.'

Mercedes sprong uit haar stoel. 'O, ik wil dat weergaloze talent wel eens laten zien wat ervan over is als...' Voordat Mercedes de zin kon afmaken, vloog de deur van het muzieklokaal open. Meneer Schuester kwam binnen met een enorme roze kartonnen doos van de bakker onder zijn arm en met een grote plastic kan sinaasappelsap in zijn andere hand. De zoete geur van vers gebak steeg op uit de doos en Mercedes ging prompt weer zitten. Haar maag knorde en ze bedacht dat ze niet eens tijd had gehad voor een kom muesli voordat Kurt op de oprit had staan toeteren.

'Hé, jongens!' meneer Schuesters knappe kop grijnsde blij naar de club. Zijn bruine krulletjes, die nog nat waren toen hij van huis vertrok, waren bevroren door de kou. 'Het spijt me dat ik jullie heb laten schrikken met de oproep voor deze vroege noodbijeenkomst, maar ik wou jullie allemaal gesproken hebben en ik kon niet wachten tot de Glee Club-repetitie na schooltijd.'

'Wat is het grote nieuws dan?' vroeg Kurt en hij keek naar de doos. Het rook heerlijk, wat het ook was, en hij wilde weten of het lekker genoeg was om de extra calorieën voor lief te kunnen nemen. 'We staan allemaal stijf van de spanning.'

'Nou...' meneer Schuester keek door het lokaal. Mike en Matt stommelden net naar binnen. Ze zagen er nauwelijks wakker uit. Nog afwezig waren Noah 'Puck' Puckerman, Quinn Fabray en Santana Lopez en Brittany Pierce, de twee Cheerios. 'Ik wil het de hele groep vertellen en jullie zijn nog niet compleet.'

'Wat?' Rachel, die was gaan zitten zodra meneer Schuester binnenkwam, veerde uit haar stoel op en landde op haar gelakte schoentjes. Ze was altijd alert als het om onrecht ging en dit was ontzettend onterecht. 'Maar Puck en de Cheerios komen áltijd te laat. Het is niet eerlijk om ons voor hun fouten te straffen.'

Meneer Schuesters gezicht betrok een beetje, zoals altijd wanneer Rachel haar mening ergens over gaf, wat ze minstens honderd keer per uur deed. 'Laten we gewoon even kijken of ze op komen dagen.'

Finn, die zin had om de roze gebaksdoos open te scheuren, kon niet langer wachten. Hij hoopte dat er gevulde donuts in zaten. Het soort dat bedekt was met kleverige suiker. 'Eh, meneer Schu? Ik had Quinn gisteravond aan de lijn, en ik, eh, denk niet dat ze er vanmorgen bij is.' Hij gaf nog steeds om Quinn, ook al was het nu uit. Dat zou hij misschien niet moeten doen, vooral omdat ze gelogen had en gezegd had dat hij de vader van haar ongeboren kindje was. De echte vader was niemand minder dan zijn beste vriend, de beruchte vrouwenversierder Puck. Dat alleen al was genoeg om zelfs nooit meer te overwégen haar knappe gezichtje vriendelijk aan te kijken. Maar Finn was een grote softie. Ook al had hij een hekel aan haar om wat ze had gedaan, toch maakte hij zich zorgen om haar. Finn stelde zich vaak voor hoe Puck eruitzag met een kindje op zijn knie, terwijl hij het sambal of zo wilde voeden. Arme baby. Daarom mocht Quinn hem af en toe bellen om te vertellen hoe haar dag was geweest. Wat ze had gezegd over de extra vroege noodbijeenkomst was: 'Ik zou overwegen om te komen, als ik niet elke ochtend een vaste afspraak heb op exact dat tijdstip om mezelf leeg te kotsen.' Maar dat wilde Finn niet zeggen waar iedereen bij was.

'Geweldig.' Meneer Schuester gaf het op. 'Goed, het spijt me dat ik jullie hier allemaal naartoe heb laten komen op dit vroege tijdstip, maar het ziet ernaar uit dat jullie nog even moeten wachten op het nieuws.' Hij hield de roze gebaksdoos omhoog om zich tegen de boze blikken en harde zuchten te verdedigen. Hij zette de doos op de piano. 'Maar ik heb wel wat lekkers meegenomen. Zie het als een vredesduif. En waarom ontmoeten we elkaar niet aan het begin van de lunchpauze? Ik zorg ervoor dat de leerlingen die nu ontbreken er dan ook bij zijn.'

Finn was het eerste bij de doos. Twee dozijn verse croissants lagen te glimmen op het witte papier van de bakker. Finn hapte in een croissant, die weg leek te smelten in zijn mond. Dit was beter dan een gevulde donut. 'Lekker. Bedankt, meneer Schu.'

Iedereen griste een croissant weg. 'Geniet ervan, jongens. En onthoud: dit is een hint.' Hij knipoogde naar ze maar wilde verder niks zeggen.

Rachel schonk een glas sinaasappelsap in voor zichzelf. Ze had er helemaal geen zin in. Als haar ochtendsessie verstoord moest worden, wilde ze daar wel een réden voor hebben. Celine Dion was niet zover gekomen door oefensessies te onderbreken voor sinaasappelsap en croissants. De dag ging bergafwaarts en school was nog niet eens begonnen.

Gang, tussen de lessen, maandagochtend

De gangen van McKinley High waren levensgevaarlijk als je laag op de sociale ladder van de school stond. Tijdens de les slaagden zelfs de allerslechtste docenten erin om hun rumoerige leerlingen enigszins onder de duim te houden en in de kantine was er altijd toezicht van wisselende docenten, maar tussen de lessen door waren de gangen lange stukken onbewaakt vastgoed, tjokvol hormonale tieners die popelden om wat stoom af te blazen. Helaas werd deze stoom meestal gericht op de leerlingen met de laagste rangorde op de apenrots die high school heet. De ongewenste aandacht varieerde van pootje haken, tegen lockers duwen, 'per ongeluk' botsen zodat alle boeken op de grond vielen, tot de ergste vorm van gangmartelingen: een slushie in je gezicht krijgen.

Tina Cohen-Chang hield van kunstzinnige goth-outfits en zij viel nogal op tussen alle doorsnee jeans-met-een-trui-outfits, dus ze was elke keer blij als ze droog bij haar locker aankwam. Deze keer droeg ze een zwart-geel geruite rok tot op haar knieën, die ze bij elkaar hield met grote veiligheidsspelden, een Blondie-T-shirt en een dik zwart vest met gaten op haar ellebogen.

'Cake actie,' zei ze tegen Artie die vanwege zijn rolstoel ook vaak ongewenste aandacht kreeg in de gangen van de school. Tina keek in de kaft van haar geschiedenisschrift, waar haar lockercombinatie in blauwe inkt was geschreven, en draaide aan het slot. Ze kon het nooit onthouden en al helemaal niet op maandag. 'Het móét haast weer een cake actie zijn, waarbij we taartjes moeten verkopen. Waarom zou meneer Schuester ons anders croissants geven en vertellen dat het een hint was?'

'Ik denk dat croissants heel moeilijk zijn om te bakken, tenzij je die kant-en-klare uitroldingen uit een blikje koopt.' Artie reikte naar achteren om de rugzak te pakken die hij achter zijn stoel had gehangen. Hij had net een coole regel voor een liedje bedacht waar hij mee bezig was en hij wilde de zin opschrijven voordat hij hem vergat. Iemand stootte – deze keer per ongeluk – tegen zijn stoel waardoor Artie naar voren reed en tegen een locker aan ramde. 'En die zijn echt niet te eten.'

Tina gooide haar locker open. 'Ik weet niet of ik nog een cake actie aankan.' Aan de deur van haar locker hing een foto van Joan Jett, de kaartjes van het White Stripes-concert waar ze vorige herfst met Artie naartoe gegaan was, en haar lievelingsquote van Georgia O'Keeffe, die ze met haar kalligrafeerpen op een uitgescheurd blaadje had overgeschreven: 'Ik ben elk moment van mijn leven doodsbang geweest – en dat heeft me nooit ergens van weerhouden'. Daaronder hing een foto van de Glee Club bij de Sectionals. Iedereen keek stralend naar Rachel en Mercedes die de zware gouden trofee omhooghielden. Zingen gaf Tina zelfvertrouwen en toch bleef ze superverlegen. Van de gedachte dat ze aan een lange tafel in de kantine zou moeten zitten om leerlingen die langsliepen te vragen of ze een dollar wilden betalen voor een cakeje, moest ze hard slikken.

'De vorige actie was nogal rampzalig.' Artie dacht terug aan de cake actie aan het begin van het schooljaar, toen de Glee Club daar met hun zielige cakejes had gezeten terwijl alle leerlingen straal langs hen heen liepen en deden alsof ze lucht waren. Hij had zich gevoeld als zo'n verkoper in een warenhuis die je probeert te interesseren voor een nieuwe aftershave.

'Jullie moeten wat ruimer denken. Het is echt niet weer zo'n suffe cake actie.' Rachel kwam opgewekt aanlopen met Mercedes, die een stapel boeken tegen zich aan hield. Alle leden van de Glee Club wisten dat ze Rachel nodig hadden om succes te hebben – ze had een geweldige stem en ze wist zoveel meer over optreden dan wie dan ook – maar iedereen om haar heen werd ook altijd gek van haar. Misschien kwam dat omdat ze de ongelukkige gewoonte had om haar sterke punten op te sommen en de zwakke punten van de rest van de mensheid te benadrukken.

'Ik denk dat je ons nu gaat vertellen wat jij denkt dat het nieuws is, Ruimdenkend Wezen.' Mercedes keek in de spiegel in Tina's locker en smeerde wat aardbeienlipgloss op haar uitgedroogde lippen. Ze had het nu al helemaal gehad met Rachel, die het gewaagd had om te vragen of Mercedes die grote gouden stervormige oorbellen had ingedaan uit bewondering voor Rachel. Rachel dacht dat de gouden ster haar persoonlijke symbool was.

'Het is duidelijk dat meneer Schuester gewoon mijn herhaalde verzoeken...' begon Rachel, maar een *senior* in een basketbaltrui liep langs haar en sloeg met één vuistslag alle boeken uit haar handen.

'Je bedoelt éísen,' onderbrak Mercedes haar, en ze keek naar haar telefoon die *tsjilp* zei. Kurt had een sms gestuurd: *Misschien wil hij dat we een Cirque du Soleil-choreografie leren*

Rachel negeerde Mercedes en bukte zich om haar boeken van de grond op te rapen. Tina hielp haar. Jongens op McKinley High zijn zo onbeschoft, dacht Tina.

'Het is duidelijk dat hij bereid is om mijn herhaalde verzoeken in te willigen om ons iets uit de klassieker *Les Misérables* te laten zingen,' zei Rachel.

Tina en Artie keken elkaar aan. Mercedes haalde haar neus op en dacht: Rachel is net als zo'n vitaminebruistablet met hoge dosis vitamine C, een beetje heftig op de nuchtere maag.

Rachel zuchtte diep en liep naar haar klaslokaal. Het was een wonder dat ze überhaupt iets voor elkaar kreeg met al die negativiteit om haar heen. Maar ze was echt niet van plan om haar goede bui te laten vergallen door het gezeur van Moeilijk Moeilijk en co. Niet nu ze net een overwinning behaald had op meneer Schuester, die om onbegrijpelijke reden blijkbaar altijd haar carrière wilde dwarsbomen. Hij was vast gewoon teleurgesteld dat hij het nooit gemaakt had op Broadway en dat hij leraar Spaans was geworden, en Glee Clubcoach was in hetzelfde duffe gat waar hij was opgegroeid. Misschien had hij ein-de-lijk begrepen dat hij het succes van Glee Club alleen maar kon garanderen door haar tevreden te houden en had hij eindelijk een van de 185 adviezen gevolgd die ze hem had gegeven sinds het begin van het schooljaar. Het werd tijd.

De afgelopen maanden leek het alsof werkelijk niemand in de Glee Club naar haar wilde luisteren. Het was frustrerend, en zij was de enige van de club die al vanaf dat ze een baby was, ervaring had met optreden. Ze konden zoveel van haar leren.

Terwijl ze de hoek omsloeg werd ze bijna omvergelopen door een groep jongens die achter elkaar aan zaten met lacrossesticks. Ze ving een glimp op van twee rood-witte Cheerios-uniformen. In het winterseizoen cheerden de kampioen cheerleaders van Coach Sylvester voor het basketbalteam van McKinley High. Ze veranderden hun uniform door een witte coltrui te dragen onder het mouwloze topje waar WHMS op stond, en een witte legging onder het korte plooirokje die de jongens deed kwijlen. Ze had nooit begrepen waarom de cheerleaders het uniform elke dag aanhadden, maar Rachel had een sterk vermoeden dat Coach Sylvester het van hen eiste om hun positie boven aan de rangladder te houden en om de rest van de school eraan te herinneren dat Cheerios belángrijk zijn. Alsof ze het ooit konden vergeten.

Rachel was normaal gesproken niet geïnteresseerd in de Cheerios, maar dit waren toevallig Santana en Brittany, de twee meisjes die niet waren komen opdagen op de vroege noodbijeenkomst die ochtend. Ze leunden tegen hun lockers en zagen er mooi en slank en zorgeloos uit.

Rachels ogen vernauwden zich. Hoe kwamen zij aan twee lockers naast elkaar? Coach Sylvester had duidelijk ongekende – en ongepaste – invloed om allerlei dingen te regelen voor haar cheerleaders. Niet dat Rachel er bezwaar tegen had dat Santana en Brittany in de Glee Club zaten. Zonder de cheerleaders had de Glee Club niet de voor wedstrijden vereiste twaalf leden. En de aanwezigheid van de meisjes met de hoogst haalbare sociale status op school had de status van de Glee Club tot ietsje boven nul doen stijgen.

Maar dat betekende niet dat ze konden doen alsof Glee niet belangrijk was. Ze hadden het berichtje van meneer Schu totaal genegeerd, alleen maar omdat ze geen moer om Glee gaven. Tenminste, zo leek het. Vaak ontbrak een van de twee bij de repetitie, of kwam er een belachelijk laat binnen, met een Starbucks-frappuccino in haar hand. En Santana had ooit een sms'je verstuurd midden in een solo, die ze zelf zong!

Rachel ontweek een paar AudioVideo Club-leden die een kar met daarop een grote televisie duwden en probeerde niet op te vallen terwijl ze dichter bij de Cheerios ging staan. Ze deed alsof ze belangstelling had voor een tentoonstelling van amateuristische freshman aquarellen in een glazen kast en spitste haar oren.

Als ze dacht dat de meisjes zich net zoveel zorgen hadden gemaakt om het berichtje van meneer Schuester als de rest van de Glee Club, had ze het mis. 'Het heet Mezzo, of zoiets,' zei Santana. Ze praatte altijd alsof ze zich helemaal dood verveelde, zelfs als ze iets leuk vond. Misschien kwam het door de kauwgom waar ze voortdurend op kauwde. 'En het is het leukste winkeltje in het winkelcentrum sinds Express dicht is.'

'Ik heb gehoord dat de designers Europees zijn, of misschien Italiaans.' Brittany bestudeerde haar gezicht in de magneetspiegel aan de binnenkant van haar locker en smakte haar lippen op elkaar om haar glanzend roze lipgloss wat beter te verspreiden.

Quinn Fabray, voormalig hoofd van de Cheerios, liep naar hen toe en kwam erbij staan. Zelfs nu ze zwanger was zag

Quinn er betoverend uit. Met haar engelachtig blonde haar, hartvormige lippen en goudkleurige haarband leek ze op een engeltje in een kerstboom. Rachel had gehoord van de 'gloed' die zwangere vrouwen over zich heen krijgen maar dit sloeg alles. Was haar zwangerschap dan niet een gevaar voor haar populariteit? Misschien niet als je Quinn Fabray heette, hoewel ze duidelijk niet samen met Santana en Brittany naar school was gegaan die ochtend; een opvallende verandering van hun ritueel. Quinn deed meteen mee met hun onbenullige gesprekje. 'Shoppen? Ik ben altijd in de stemming voor een klein shopfeestje. School duurt echt vier uur te lang voor mij,' zei ze terwijl ze haar tas aan haar schouder hing. 'Zullen we vanmiddag na school naar het winkelcentrum gaan en kijken of we iets nieuws kunnen vinden voor het Basketbal-Cheerios feestje dit weekend? Ik heb niets om aan te trekken.' Dat was natuurlijk helemaal niet waar. Quinn had een inloopkast vol geweldige kleren, met dank aan mevrouw Fabrays neiging om moeder-dochteraandacht te geven in de vorm van samen shoppen toen Quinn nog niet zwanger was. Maar het was tijd voor de waarheid. Dankzij Quinns toenemende buikomvang paste ze niet meer in de meeste designerjeans en dure jurkjes. En ook al kon ze waarschijnlijk beter sparen voor de baby, het beef heel belangrijk voor Quinn dat ze er goed uitzag. Dus ze ging gewoon naar het feestje, net als iedere normale tiener, en ze kocht gewoon een leuke nieuwe outfit.

Rachel schoof wat dichterbij. In haar geruite rokje en trui met pofmouwtjes zou ze zich normaal gesproken vijf jaar oud gevoeld hebben naast Quinn en de Cheerios, maar ze was te kwaad over wat ze hoorde om zelfbewust te zijn. Waren ze echt van plan om de Glee-repetities over te slaan na schooltijd zodat ze konden shoppen? De club had hen nodig, hoe erg Rachel het ook vond om dat toe te geven, en ze stonden op het punt om de club te laten zitten. Alweer. En dat was ontzettend oneerlijk.

'Dat is niet snel genoeg.' Santana schudde haar hoofd. Haar lange zwarte paardenstaart zwiepte over haar rug. 'We moeten er meteen heen. Ik zag op Facebook dat alle coole dingen de winkel uit vliegen.'

'Wacht even, de lunch is wanneer ik met mijn denkbeeldige poedel door de kantine wandel,' zei Brittany. Ze hield een plaatje van een poesje tegen zich aan. 'Hij vindt het vast niet leuk als ik het vergeet.'

'Dan kunnen we ook die heerlijke vetarme bosbessen-smoothies halen,' zei Quinn, en ze glimlachte verlegen naar een paar jocks die langs de meisjes liepen en zachtjes met hun schouders tegen hen aan stootten. Quinns boeken waren nog nooit uit haar armen geslagen, dat wist Rachel wel zeker. En ze moest toegeven dat het bijzonder was hoe moeiteloos Quinn iedereen om haar vinger kon winden. Als Quinns zangtalent nou net zo mooi was als Quinn... maar helaas moest de Glee Club het vooral doen met haar schoonheid. Ze had het gezicht van een meisje dat gemaakt was voor de cover van een glossy. 'Dat is veel gezonder dan die ader-vernauwende rommel in de kantine, en ik kan er echt niet tegen om vandaag nog een keer te kotsen.'

'Gadver, Quinn. Ik denk dat we Chinees eten krijgen vanwege Multiculturele Week.' Santana trok haar parmantige neusje op. 'Ik heb geen idee hoe die Chinese mensen zo dun blijven. Dat eten stikt van de koolhydraten.'

Rachel haalde diep adem en deed een stap naar voren. Ze tikte Quinn op haar schouder en kreeg de blonde paarden-staart in haar gezicht toen Quinn zich naar haar omdraaide. 'Ja?' vroeg Quinn koeltjes. Ze bekeek Rachel van top tot teen. Ze wilde liever niet waar iedereen bij was met Glee Club-kids praten, zeker nu ze niet meer zeker wist of ze nog boven aan de sociale ladder stond – en Rachel had dat door.

Rachel glimlachte liefjes en negeerde de ijzige toon in Quinns stem. Als ze een ster was op Broadway zoù ze ongetwijfeld met onvriendelijke musicalcritici moeten praten, en de kattige Cheerios waren een goede voorbereiding. 'Ik hoorde toevallig...'

'Ja, omdàt je ons zwaar àfluisterde.' Santana sloeg haar

armen over elkaar. 'Ik zag je wel als een soort stalkende stalker op de loer liggen.'

'Hoe dan ook.' Rachel schraapte haar keel en pulkte aan haar kraag. 'Ik wou je gewoon vertellen dat ik heus niet toesta dat jullie vandaag voor de zoveelste keer de Glee Club laten stikken. Meneer Schuester heeft groot nieuws en we moeten allemaal in de lunchpauze verzamelen. Zoals jullie vast al lang weten.'

Quinn verslikte zich bijna in haar lach. Vier maanden geleden had ze nooit gedacht dat Rachel haar ooit zou durven aanspreken. Ze was een loser zonder vriendinnen die voor in de klas zat en elke keer dat ze haar hand opstak bijna in haar broek plaste van opwinding. Maar nu ze de ster was van de McKinley High Glee Club had ze last van grootheidswaanzin. Iemand moest haar een beetje realiteitszin bijbrengen. Of ten minste publiekelijk vernederen, zoals Quinn vernederd was toen Rachel haar grote vaderschapsgeheim aan Finn verraden had. Rachel had geen enkel recht om die geheime informatie aan wie dan ook te vertellen, en vooral niet aan de jongen die dacht dat hij de vader van haar baby was. Goed, Quinn was ergens best wel opgelucht geweest dat het hele toneelstuk was afgelopen, maar ze was echt niet van plan om dit ongestraft voorbij te laten gaan. 'O, echt? En hoe wou je ons tegenhouden?'

Rachel grijnsde terug en liet haar nepglimlach van haar gezicht verdwijnen. 'Wat vinden jullie ervan als ik rector Figgins vertel dat jullie de hele tijd spijbelen? Ik wil wedden dat hij graag de rest van het schooljaar extra goed op jullie wil letten, zodat jullie nooit meer spijbelen.' Rachel had geen enkel probleem met klikken. Als mensen zich gewoon aan de regels hielden, zou ze ook niet hoeven klikken. Ze had er een gewoonte van gemaakt om een keer per week bij rector Figgins naar binnen te lopen, of ze nou iets te melden had of niet.

De ogen van de drie meisjes werden groot van verbazing. Quinn balde haar handen tot vuisten. Ook al waren Brittany en Santana Cheerios, en ook al geloofden alle docenten en met name rector Figgins dat Quinn een engel was – zelfs nu ze zwanger was – leek het haar geen goed idee om de aandacht te vestigen op het feit dat ze de laatste tijd best veel lessen overgeslagen hadden. En ze twijfelde er geen seconde aan dat Rachel vrolijk de kamer van de rector zou binnenhuppelen om hen voor de leeuwen te werpen. 'Als je het waagt,' snauwde Quinn, verbijsterd.

'Daag je me uit?' vroeg Rachel. Ze voelde haar vertrouwen toenemen. 'Ik weet dat jíj dat niet doet, maar sómmige mensen nemen Glee wel serieus.' Ze slikte. 'Dus, als jullie de Glee Club serieuzer namen, zou ik aan niemand hoeven vertellen dat jullie zo weinig op komen dagen.'

Santana schudde haar hoofd. 'Mooi niet.' Als Santana Rachel zag moest ze altijd aan haar irritante kleine nichtje denken dat altijd naar de vaders en moeders rende om te klikken over de grote kinderen als ze haar negeerden. 'Dat lijkt me geen goede deal.'

'Santana heeft gelijk.' Quinn kneep haar lichtbruine ogen samen. Iemand had haar ooit verteld dat ze erg gevaarlijk uit haar ogen keek en ze genoot ervan dat ze makkelijk met haar ijskoude ogen een freshman meisje kon laten sidderen. 'Je moet er wel iets voor terug doen. Als je wilt dat we komen opdagen bij de lunchpauze en bij de repetitie na school, én in de toekomst, moet je ons helpen als we wel een keer willen spijbelen.'

'Wat?' Rachel fronste haar wenkbrauwen. Wat dachten ze wel niet? 'Waarom zou ik dat doen?'

'Omdat we ook gewoon kunnen kappen met Glee en dan heb je niet genoeg leden om mee te kunnen doen aan de *Regionals*.' Quinn hield haar biologieboek stevig tegen zich aan. 'En ik heb het idee dat je dat niet wilt.'

Rachel kon zien aan het gezicht van de drie meisjes dat ze niet van plan waren om toe te geven. Quinn was gewend haar zin te krijgen en ze wist dat Quinn haar overtroefd had. 'Goed,' zei Rachel met tegenzin.

'En,' zei Quinn, terwijl ze heel snel nadacht, want ze was niet van plan om Rachel hier zo gemakkelijk mee weg te laten komen, 'er is nog iets.' Het was belachelijk dat Rachel dacht dat ze zomaar op haar af kon stappen en allerlei idiote eisen kon gaan stellen. Quinn liet zich niet commanderen door een zielig Glee-meisje met nul gevoel voor mode en een veel te grote neus, en ze wist dat Rachel twee zwakke plekken had, naast hoe ze eruitzag: haar toewijding aan de Glee Club en haar obsessieve liefde voor Finn. Finn was echt totaal onbereikbaar voor Rachel, maar was op de een of andere manier er toch door Rachel ingeluisd om korte tijd een vaste relatie te hebben, waar Rachel duidelijk nog niet overheen was. 'Je mag twee weken niet met Finn praten.'

Rachels ogen werden zo groot als schoteltjes. Santana en Brittany lachten gemeen. Ze begrepen echt niet wat Finn überhaupt in Rachel zag, ook al had het maar kort geduurd. Quinn begreep het wel. Rachel was irritant, maar ze had talent, en ze was onschuldig en oprecht: allemaal eigenschappen die Finn bewonderde in mensen. Bovendien ging Rachel gedreven en vol passie voor goud, wat Finn ook wilde leren doen. Dat vond hij zo gaaf dat hij niet eens zag dat Rachel eruitzag alsof haar oma haar elke ochtend aankleedde. In het donker.

'Wacht even, wat heeft Finn hiermee te maken?' vroeg Rachel. Ze wist dat Quinn woedend was geweest toen Finn iets met haar had gekregen nadat Quinn het met hem had uitgemaakt, maar ze had niet beseft dat Quinn nog steeds wrok koesterde. Misschien nam Quinn het haar kwalijk dat ze Finn verteld had dat hij niet de vader van Quinns kindje was. En toegegeven, dat had Rachel gedaan zodat hij het uit zou maken en hij in háár liefhebbende armen zou uithuilen. Maar het was zo duidelijk uit tussen haar en Finn – hij had haar verteld dat hij niet opgewassen was tegen een meisje dat zoveel aandacht nodig had en zo'n sterke wil had als Rachel.

Trouwens, Rachel had een nieuw romantisch doelwit. Laatst was ze in de muziekwinkel de ster van hun grootste concurrent tegengekomen: Jesse St. James van Vocal Adrenaline. Jesse had Rachel duidelijk gemaakt dat hij niet alleen op muzikaal vlak met haar wilde samensmelten. Dus.

Quinn haalde haar schouders op. Ze kon haar triomfantelijke lach met moeite bedwingen. Jammer dan dat het uit was met Finn. Maar dat betekende nog niet dat ze het leuk vond als hij alweer met andere meisjes ging, en zeker niet met een meisje als Rachel. Quinn had het leuker gevonden als ze nog jaren over Finn had kunnen dromen en daarom stond ze erop dat ze vrienden bleven. Ze mocht ook lekker bij hem klagen over dingen, wat een zeldzame eigenschap was voor een jongen. Ze wist niet of ze nou weer iets met hem wilde, maar ze wist wel dat ze het niet leuk vond dat hij met iemand anders was. 'Misschien heeft hij er niets mee te maken. Maar als je ons op de Glee Club-repetities wilt zien, moet je doen wat we zeggen.' Quinn voelde zich een heel klein beetje schuldig dat ze Rachel manipuleerde. Rachel keek gekwetst. Maar Quinn moest haar reputatie als Koningin die Nooit Toegeeft hoog houden.

Rachel beet op haar lip. De ogen van de drie meisjes boorden dwars door haar heen en er gleed een druppel zweet tussen haar schouders omlaag. Nu wist ze waarom niemand ooit iets probeerde bij Quinn of de Cheerios. Ze gingen recht op hun doel af en genoten ervan. Maar ze was niet van plan om Quinn te laten merken hoeveel ze om Finn gaf, ook al wist Quinn dat maar al te goed. Quinns kleine oortjes waren puntig als bij een klein duiveltje en ze had het talent om je zwakke plek te ontdekken. En Finn was Rachels zwakke plek, haar enige, hoopte ze.

Maar Rachels carrière was oneindig veel belangrijker dan flirten met Finn. Hij had al tig keer een nieuw afspraakje met haar kunnen maken, als hij dat ooit nog van plan was, dus het was ook niet alsof Rachel iets opgaf wat bestond. Ze had iets met hem gehad en nu was het voorbij. Het was eigenlijk wel tijd om dat toe te geven.

En het ging maar om twee weken, toch? Het grote nieuws

van meneer Schuester was dat wel waard. Glee had Quinn en Santana en Brittany hard nodig, of Rachel dat nou leuk vond of niet, en als dit de enige manier was om hen op te laten dagen, moest ze dit overhebben voor de rest van de Gleeks.

'Deal,' zei Rachel en ze stak haar hand uit om Quinn de hand te schudden. Ondanks het kleine gouden kruisje dat om Quinns nek hing kreeg Rachel het gevoel dat ze een pact met de duivel had gesloten.

3

Muzieklokaal, maandag tijdens de lunchpauze

Rachel kon maar niet opletten bij algebra, ook al vond ze dat altijd een eitje. In plaats van de formules op het schoolbord zag ze zichzelf op het podium in vol *Les Misérables*-ornaat. Neem een pikdonker podium. De mist (niet uit een mistmachine die het niet doet zoals de machine die eerder dat jaar het Glee-optreden verpest had tijdens het 'Het Regent Muzieknoten Festival') spreidt zich langzaam uit door de nauwe stegen van Parijs. Rachel komt op, in een eenvoudige boerenjurk met een empiredecolleté, waardoor het eruitziet alsof ze daar echt wat heeft zitten. Haar mond opent zich en haar zang zweeft door de lucht, het publiek betoverd achterlatend. Overweldigend applaus.

Na de les pakte Rachel haar roze koeltas met lunch uit haar locker en liep naar het muzieklokaal. Meestal maakte ze 's ochtends haar eigen lunch klaar, zoals de volkorenwrap met hummus en kalkoen die ze deze keer had, een appel of een peer, en een plastic tupperwarebakje met wortels en selderijstengels. De warme maaltijden die je in de kantine kon kopen, waren niet echt eetbaar, aderverstoppende schotels met vette kaas, heel veel koolhydraten en armzalig weinig groenten.

De helft van de Glee Club was al in het muzieklokaal toen ze binnenkwam. De verwarmingen sisten en boerden hete droge lucht het lokaal in. Rachel keek meteen naar Finn die op het drumkrukje zat en achteloos op de gouden cimbalen tikte. Waarom was hij toch zo... charmant? Met zijn vaalblauwe flanellen overhemd op een effen wit T-shirt, versleten jeans en zwarte gympen zag hij er net zo uit als alle andere doorsnee sportieve jocks met zelfvertrouwen die er op William McKinley High rondliepen.

Maar hij was meer dan doorsnee. Je moest lef hebben om lid te worden van de Glee Club als je de populairste jongen van de school was. Dat stond normaal gesproken gelijk aan sociale zelfmoord. Zijn neanderthalervriendjes pestten hem nog elke dag omdat hij met artistieke nerds omging, maar meestal liet hij het over zich heen komen alsof het hem niks kon schelen dat ze hem wilden beledigen. Rachel vond zelfvertrouwen echt súperaantrekkelijk. Daarom had ze ook een korte, gedoemde obsessie gehad voor Alexander Kowalski, de hoofdrolspeler in *Oklahoma!* in het freshman jaar.

Rachel wilde iets zeggen tegen Finn, misschien vragen of hij de avond ervoor zijn score met Grand Theft Auto verbeterd had? Iets waarmee ze zijn mannelijke ego op kon vijzelen. Maar voordat ze iets kon zeggen, zag ze dat Quinn Fabray, die boven in het lokaal op een rode plastic stoel zat, haar recht aanstaarde, een volmaakt geëpileerde wenkbrauw opgetrokken alsof ze wilde zeggen: Ga ervoor, praat met hem. Vergeet onze afspraak. Santana zat naast haar en slaagde erin om tegelijkertijd haar nagels te vijlen, te sms'en op haar Blackberry en Rachel misprijzend aan te kijken.

Rachel liep vlug langs Finn en zei niks. Ze plofte neer op de eerste rij, naast Tina en Kurt. 'Fijn dat jullie er zijn,' zei ze nog even snel tegen Quinn.

'Graag gedaan.' Quinn keek haar aan als een sluwe kat. Ze was erg tevreden met zichzelf. Ze vond het sowieso niet leuk als Finn met iemand anders ging, maar van de gedachte van Finn met Rachel ging ze echt over haar nek. Ze had er alles voor over om hen uit elkaar te houden, en dat ze tegelijkertijd Rachel kon martelen, was pure winst.

De bel ging, en precies op dat moment glipten de andere Glee Club-leden naar binnen. Puck liep als laatste het lokaal in. Een basketbal draaide rond op zijn wijsvinger. Hij gaf Quinn een vette knipoog, die ze waardeerde maar direct negeerde. Dit was sinds een paar maanden de dagelijkse routine. Hij versierde haar openlijk en zij deed alsof ze niet geïnteresseerd was.

'Godzijdank,' zei Rachel, en ze wreef tevreden in haar handen. 'We zijn compleet.' Ze wipte bijna op en neer in haar stoel van opwinding. Ze was erg benieuwd naar welk nummer uit *Les Mis* meneer Schuester voor haar had uitgekozen om in te schitteren – 'I Dreamed a Dream' of 'On My Own'? Die twee waren het meest geschikt voor haar stem, maar ze stond open voor andere suggesties.

'Ja, op meneer Schu na.' Finn stond op en hij mikte de drumstokken zodat ze op een muziekstandaard vielen. Hij gaapte. Hij vond al die geheimzinnigheid prima, maar was die ochtend liever niet voor nop een halfuur te vroeg zijn bed uit gekomen. Hij was tot drie uur tevergeefs bezig geweest zijn score van Grand Theft Auto IV te verbeteren.

'Ik ben er, ik ben er.' Meneer Schuester kwam het lokaal binnen met een grote grijns op zijn gezicht. Met zijn warme bruine ogen, zijn vrolijke lachrimpels en zijn jeans met donkere wassing zag hij er niet veel ouder uit dan zijn leerlingen. Zijn leren koerierstas hing aan zijn schouder en hij zette hem voorzichtig neer op de zwartgelakte piano zodat hij die niet zou beschadigen. Hij keek snel het lokaal door. 'Fijn, jongens, dat jullie nu wel allemaal zijn op komen dagen.'

Rachel keek triomfantelijk achterom naar Quinn.

'En, wat is het nieuws?' vroeg Mercedes, zo laconiek mogelijk. Ze wilde op geen enkele manier de indruk wekken dat ze op Rachel leek, die naast haar heftig op en neer wipte van voorpret.

'Het nieuws is dit.' Meneer Schuester pakte een stoel, draaide hem om, ging zitten en sloeg zijn armen over elkaar. 'Ik heb lang nagedacht over het nummer dat jullie tijdens de Multiculturele Show dit jaar zouden kunnen zingen.'

'De Multiculturele Show? Daar komt altijd een groot publiek op af,' zei Kurt vol optimisme. 'Vorig jaar mochten we niet optreden van meneer Ryerson. Hij zei dat de aula van Deer Valley High slechte akoestiek heeft.' De Multiculturele Show werd elk jaar in een andere school in de regio gehouden. Het was de bedoeling dat de scholen allerlei verschillende culturen eerden in hun aula, wat meestal neerkwam op verschillende muzikale optredens – een mariachiband, een kabuki-theatervoorstelling – en een lopend buffet met gerechten uit allerlei landen. Vorig jaar, bij de viering op Deer Valley High, had Kurt een jongen gespot die een zwarte zijden sjaal van Chanel om zijn hoofd droeg terwijl hij enchilada's uitdeelde. Dit jaar was McKinley High de gastheer, misschien kwam hij die jongen weer tegen.

'Dit jaar gaan we gebruikmaken van de Multiculturele Week om iets anders te doen.' Meneer Schuester haalde een foto uit zijn tas en hield hem omhoog zodat iedereen hem kon zien. Een erg magere Will Schuester in een McKinley High-trui had zijn arm geslagen om een lange, knappe tiener in een zwarte coltrui.

'Gaat u ons nu vertellen dat u homo bent, meneer Schu?' Puck keek vluchtig naar Kurt. Als er nog een homo bij de Glee Club zat, werd het moeilijk voor Puck om zijn basketbalvrienden te overtuigen dat er geen vreemd luchtje aan de club zat.

Kurt zuchtte theatraal. Puck was de ergste neanderthaler die er bestond, ook al kon hij 'Sweet Caroline' nog zo mooi zingen en ook al had hij nog zulke strakke biceps.

'Wanneer is die genomen? In 1985?' Santana kneep haar ogen samen om de foto goed te bestuderen.

'Nee, in 1994,' corrigeerde meneer Schuester haar. Hij keek streng naar Puck, maar Puck bestudeerde zijn borstspieren om te kijken of zijn gewichtenwork-out die ochtend effect had gehad. 'Dit is mijn vriend Philippe, een Franse leerling die bij ons in huis woonde in mijn *junior* jaar op school. We hebben veel over elkaars cultuur geleerd en elkaar goed leren kennen, en Philippe vond het vooral heel leuk om mee te gaan naar de McKinley High Glee Club omdat ze op zijn school in Frankrijk zoiets helemaal niet hadden.'

Rachel kneep haar lippen samen. Ze wist dat Glee gouden tijden had beleefd toen meneer Schu op school zat, elke keer dat ze gingen repeteren kwamen ze langs de tientallen bekers en medailles in de prijzenkasten tegenover de aula. Elke keer dat ze de kast bekeek, bedacht ze hoeveel mazzel meneer Schuester had dat hij bij de Glee Club had gehoord in een tijdperk waar slushies geen wapens waren en talent op school bewonderd werd in plaats van belachelijk gemaakt. Maar ergens was ze ook jaloers dat Glee toen zo'n hit was geweest; waarom nu niet? Wat was er nou zoveel beter aan 1994? 'Meneer Schuester, het is best interessant als u persoonlijke herinneringen met ons wilt ophalen, maar wat hebben we eraan voor de Regionals?'

'Wacht nou even, Rachel.' Meneer Schuester zuchtte. Dit gaat niet over jou, hoorde Rachel hem haast denken, maar hij hield zich in. Hij liet geen kans voorbijgaan om haar te laten zien wie de baas was, maar ze wisten allebei dat zij de sleutel was tot het succes van Glee. 'Goed, waar was ik? Philippe was zo onder de indruk van de Glee Club, dat hij er zelf een begon toen hij weer in Frankrijk was.'

'Saai. Nu verveel ik me,' mompelde Puck zachtjes en hij leunde achterover zodat hij onder Santana's rokje kon gluren. Hij vond het leuker als de meisjes geen leggings droegen onder hun uniform, maar hij bleef kijken.

Meneer Schuester hoorde hem niet. 'We zijn elkaar niet uit het oog verloren en nu is Philippe directeur van een school in Lyon en is hij de coach van de Glee Club van zijn school.' Hij was even stil, om de spanning op te bouwen. 'En hier komt het... ze komen allemaal op bezoek bij ons op school, precies op tijd om in de Multiculturele Show met ons op te treden!'

De klas werd meteen rumoerig. Dit was inderdaad goed nieuws. Het leven in Lima was niet bepaald spannend, en al helemaal niet midden in de winter. Franse leerlingen – en dan ook nog Gleeks net als zij – zouden de boel zeker wakker schudden op school. Iedereen had een grote grijns op zijn gezicht en een paar kids hadden hun telefoon al gepakt om te sms'en, of het goede nieuws op Facebook te zetten.

'Europese chicks? Lekkerrr.' Puck boog zich voorover in

zijn stoel en lette ineens op. 'Ze zijn veel vrijer.' Hij had *National Lampoons European Vacation* gezien. Misschien had hij het gehad met preutse Amerikaanse meisjes die hun maagdelijkheid angstvallig koesterden.

'Is het te laat om ze te vragen om wat Louis Vuitton-spullen mee te nemen? Het is veel goedkoper als je het rechtstreeks importeert.' Kurts ogen waren zo groot als schoteltjes. Hij had echt dringend een nieuwe verkleedtas nodig. Hij had de outfits die hij zou dragen als de Glee Club de *Nationals* zou halen, al uitgedacht.

'Ze komen morgen aan, en ik zou het geweldig vinden als jullie een nummer konden instuderen om hen te verwelkomen.' Meneer Schuester kon het nog steeds niet geloven dat zijn leerlingen vanaf morgen de kans hadden om te ervaren wat hij had mogen ervaren op hun leeftijd. Het had zijn wereld op zijn kop gezet toen hij Philippe en de andere Franse jongelui had leren kennen. Ze kwamen uit zo'n totaal andere wereld dan Lima. Het was geweldig om te praten over alles wat anders was – bijvoorbeeld hoe Philippe al vanaf zijn achtste een slokje wijn kreeg bij het avondeten – en over alles wat ze gemeen hadden, zoals de liefde voor muziek. 'Iets waarmee je ze kunt laten zien wat je in huis hebt voordat we samen gaan repeteren voor de show.'

Rachels hand schoot zo snel omhoog dat ze bijna Tina's oog uitstak. 'Ik stel me vrijwillig beschikbaar om het project te leiden.' Ondanks het feit dat niemand protesteerde zette ze haar handen in haar zij. 'Ik denk dat het niet overdreven is om te erkennen dat ik het minst provinciaal ben en het chicst van ons allemaal, en ik zit erg Europees in elkaar.' Ze was natuurlijk best teleurgesteld dat ze geen solo uit *Les Mis* ging zingen, maar het was best spannend dat ze nieuwe mensen ging ontmoeten – en ook nog eens Fransen! – die ze kon overrompelen met haar weergaloze talent.

'Wie heeft jou benoemd tot Hoofd Wereldburger?' vroeg Kurt en hij boog zich in haar richting. Als Rachel over de talentenjacht begon die ze had gewonnen in Cleveland toen ze drie was, gooide hij een stapel bladmuziek naar haar kop en die stapel zag er heel zwaar uit.

'Nummer een: ik ben in Frankrijk geweest.' Rachel stak haar neus in de lucht. Met uitzondering van een handjevol rijke kids waren de meeste leerlingen op McKinley High het land nog nooit uit geweest, laat staan in Europa. 'Toen ik negen maanden was hebben mijn papa's me meegenomen, dus ik heb de Eiffeltoren gezien, ook al kan ik het me niet meer herinneren.'

'Ik denk dat het een heel goed idee is als Rachel dit project leidt,' zei Quinn met een zoetsappig stemmetje. Iedereen knikte instemmend. Rachels bereidheid om het lastige voorbereidingswerk te doen dat vereist was voor een nieuw nummer, was nu juist een van haar goede eigenschappen, ook al werd haar ego nog groter als ze de leiding kreeg. En Quinn vond het prima als Rachel het druk had, en geen tijd had voor Finn.

Quinns lichtbruine ogen richtten zich op Finn. Hij gooide net een zakje chips leeg in zijn mond. Een paar kruimels kwamen op het drumstel terecht. Hij was best ranzig af en toe, maar dat waren alle mannen, en hij bleef een van de leukste jongens om te zien. Quinn voelde een steek in haar buik. Het was echt doodzonde dat Puck de vader van haar kindje was, en niet Finn. Ze waren zo'n perfect stel geweest, op zoveel manieren. De hoofdcheerleader en de football quarterback (oké, nu de basketbalaanvaller), dat was toch het droomkoppel van ieder meisje op aarde als ze 's avonds in haar bedje lag te fantaseren? Maar dat was nu allemaal voorbij.

Misschien had ze niet tegen hem moeten liegen over de baby, ook al had ze dat gedaan omdat ze doodsbang was en niet wist wat ze anders moest zeggen. Ze had niet alleen haar eed als voorzitter van de Onthoudingsclub gebroken, ze had ook nog eens haar vriendje bedrogen door op een zwak moment aan haar opwinding toe te geven. Ze miste Finn. Op het homecomingfeest was alle moeite die ze in hem had gestoken, beloond en de paar maanden erna waren ze het ideale liefhebbende stelletje geweest waar de hele school superjaloers op was. Ook nadat haar schandalige zwangerschap geen geheim meer was, had Finn haar gesteund als een echte man. Finns moeder had hem zelfs betrapt toen hij een liedje zong voor de echo van de baby, die Quinn hem had gestuurd. En toch, ondanks al haar spijt, was Quinn over de foute Puck blijven fantaseren en had ze het gevoel gehad dat Finn een deel van zichzelf voor Quinn verborg, alsof hij eigenlijk wel wist dat er iets niet klopte.

En toen Finn vlak voor de Sectionals ontdekte dat hij niet de vader was, had hij veel tijd met Rachel doorgebracht. Quinn wist toen dat ze geen tweede kans had met Finn. Het leek wel alsof Finn en Rachel meteen waren gaan daten. Gelukkig had dat niet lang geduurd, waarschijnlijk omdat Finn had beseft dat het niet leuk is om met een meisje te gaan dat mannenhanden heeft, ook al kan ze nog zo goed zingen.

Oké, het was misschien kinderachtig van haar om Rachel bij Finn weg te houden, maar het kon haar niks schelen. Iets in Rachel – zoals bijvoorbeeld de manier waarop ze dacht dat ze beter was dan iedereen, alleen omdat ze goed kon zingen – maakte Quinn helemaal woest. Als Rachel wilde daten, prima, maar dan wel met iemand met dezelfde sociale status, zoals Artie, of die irritante J-Fro-jongen die de hele tijd rondhing en roddels probeerde af te luisteren voor op zijn blog.

Maar goed. Rachel, die in een kring stond met allemaal Glee-kids en hard praatte over de Franse leerlingen, had nu geen oog voor Finn.

Perfect.

4

De Engelse les van meneer Horn, maandag, laatste uur

De centrale verwarming van McKinley High was niet meer vervangen sinds de school gebouwd was, waardoor het in de meeste lokalen in de winter ijskoud was, of ondraaglijk heet. In de Engelse vleugel was dat laatste het geval en de sauna-achtige temperatuur in de lokalen maakte het bijna onmogelijk om op te letten. Tien minuten voordat de Engelse les van meneer Horn was afgelopen, waren de meeste leerlingen hun tas al aan het inpakken. Ze wilden meneer Horn, die een prima docent was, niet beledigen, maar het laatste uur op maandag was altijd een verschrikking en de laatste minuten leken uren te duren. De leerlingen konden de laatste bel bijna ruiken, zo vlakbij was het moment dat school eindelijk afliep. Hun concentratievermogen ging van weinig naar minimaal. Puck, met zijn telefoon op zijn schoot, zat geile sms'jes naar Santana te versturen, en Brittany las openlijk een tijdschrift, alsof meneer Horn trots zou zijn dat ze überhaupt iets las.

Artie was een van de weinige leerlingen die nog opletten. Hij vond meneer Horn geweldig. Hij had gestudeerd aan Berkeley in Californië, en hij had het mysterieuze talent om boeken als *Heart of Darkness* van Joseph Conrad, een boek dat zo vreselijk was dat Artie het wel had willen uitschreeuwen van ellende, tot leven te brengen door ze een hele les lang clips uit *Lost* te laten zien. Artie had zijn schrift open en maakte aantekeningen terwijl meneer Horn de lesstof over Shakespeares *Macbeth* afrondde. Hij schreef zelfs twee vragen op die hij hem na de les wilde stellen. Artie had sinds zijn eerste dag op high school voor alle vakken alleen maar het hoogste cijfer – een A – gehaald, maar Engels en Frans waren zijn favoriete vakken. Hij was dit jaar ook begonnen met Spaans, omdat de Romaanse talen hem blijkbaar makkelijk afgingen.

'Brittany, gun me alsjeblieft een beetje respect en doe dat tijdschrift weg.' Meneer Horn zuchtte en trommelde met zijn vingers op een stapel opstellen. 'School is nog niet afgelopen.'

'Sorry, meneer Horn.' Brittany sloeg het tijdschrift voorzichtig dicht en hield haar vinger op de bladzijde die de nieuwe lentemode voor riemen toonde. 'Het duurt nog maar drie minuten, of zo.'

'Precies, we hebben nog drie minuten. Daar kunnen we genoeg in doen.' Meneer Horn draaide zich om naar het bord, waarboven drie theateraffiches hingen: *As You Like It, Six Characters in Search of an Author, The Crucible.* 'Ik kan jullie bijvoorbeeld huiswerk opgeven.'

De klas kreunde in koor.

Meneer Horn deelde stapels dunne paperbacks uit aan de voorste rij en vroeg de leerlingen om er een te pakken en de stapel naar achteren door te geven. Mayur Deshmukh, de lange jongen die voor Artie zat en altijd naar verbrande popcorn rook, liet de stapel achteloos op Arties tafeltje vallen en voordat Artie de stapel kon pakken, gleden de boeken op de grond.

Mayur keek om. '*Dude*, sorry.' Hij raapte de boeken op, gaf er een aan Artie, en gaf de stapel door aan het meisje dat achter Artie zat.

Meneer Horn veegde het bord schoon dat vol had gestaan met zijn handschrift. Hij gebruikte altijd alleen maar hoofdletters. 'Vanavond moeten jullie de helft lezen van *Cyrano de Bergerac*, een toneelstuk van Edmond Rostand. Ik denk dat jullie het wel leuk vinden. Het gaat over een intelligente dichter en muzikant – een romantische en bedachtzame man – die een ernstige lichamelijke beperking heeft.'

Artie knipperde met zijn ogen. Dit was interessant. Hij kwam niet vaak lichamelijk gehandicapte mensen tegen in boeken, of op tv, of in films. Maar dat betekende niet dat ze niet bestonden. Hij bladerde door het boek, een vergeelde, beduimelde paperback met gekreukte bladzijden en onderstreepte zinnen. Op de eerste bladzijde waar het boek openviel las hij: 'Godallemachtig! Jouw gezicht is nog lelijker dan de duivels in mijn voorleesboek!' Ernaast stond een tekening van een man die in de schaduw staat van een balzaal en zijn gezicht in zijn schouder afwendt terwijl hij naar de dansende mensen kijkt.

Na een heel leven – nou ja, zijn leven vanaf zijn achtste verjaardag, toen Artie vanaf zijn middel verlamd was geraakt door een auto-ongeluk – het gevoel te hebben gehad dat hij zichzelf in de schaduw verborg, kijkend naar de rest van de wereld, dacht hij dat dit weleens zijn toneelstuk kon zijn. Misschien zou iedereen, als ze het lazen, zich realiseren hoe het was om iemand te zijn die er door zijn beperking nooit bij zou kunnen horen.

Ook al zou Artie er alles voor overhebben om zijn rolstoel in te ruilen voor een heel grote neus als handicap.

'En, ik ben ervan overtuigd dat niemand het moeilijk vindt om vrijdag een opstel van drie A4'tjes in te leveren,' zei meneer Horn.

Artie keek achterom. Aan de andere kant van de klas zat Puck met zijn ogen open te slapen. Maf, maar knap, vond Artie, je had pas door dat hij sliep als je zag dat hij niet met zijn ogen knipperde. Achter hem zat Brittany feestjurkjes te tekenen. Hij dacht niet dat zij iets zouden opsteken van het toneelstuk. Ze konden nauwelijks lezen.

'En,' ging meneer Horn verder, 'nu ik toch nog twee minuten over heb, kan ik makkelijk jullie opstellen teruggeven.'

Weer kreunde de klas in koor. Puck schrok wakker. Hij ging rechtop zitten, haalde zijn hand door zijn *mohawk* en knikte naar een meisje dat naar hem had zitten gluren. '*Whassup*,' zei hij met een soort zwoele grimas en hij ging weer door met slapen.

Artie rolde met zijn ogen. Hij zou nooit begrijpen waarom Puck zo'n aantrekkingskracht had op vrouwen. Goed, hij had de eigenschappen waar de oppervlakkige leden van het vrouwelijke geslacht waardering voor hadden – status als jock in drie stoere sporten, een Kanye-West-loopje en strakke biceps – maar Artie kon er niet bij dat zelfs de meisjes die beter zouden moeten weten ook voor dat machogedrag vielen. Puck was gewoon een grote pestkop met een laag IQ die nog steeds moest lachen om scheten en Super Mario Brothers vet vond. Misschien had het met oerinstinct te maken, zoals bijvoorbeeld met leeuwen: vrouwtjes vallen op de grootste mannetjes die het hardst brullen, de mannetjes die een aanval openen op de wat kleinere mannetjes die gewoon een beetje hun ding doen.

Het was duidelijk dat Artie Puck nog niet vergeven had dat hij hem had opgesloten in het hok van de conciërge. Artie kon niet bij het lichtknopje en had in het pikkedonker de receptie moeten bellen zodat ze hem kwamen halen. De secretaresse van rector Figgins, mevrouw Goodrich, had de eerste keer opgehangen omdat ze dacht dat het een grap was.

'Een paar leerlingen hebben Holden Caulfield uit *Catcher in the Rye* goed begrepen.' Meneer Horn gaf Artie zijn opstel terug. Bovenaan stond A+ naast een smiley. Artie grijnsde.

Meneer Horn gaf Brittany en Puck hun opstel terug. 'En een paar leerlingen hebben hem helemaal niet begrepen.' Ze hadden allebei een grote F – het laagste cijfer – en een fronsend gezichtje ernaast. Brittany propte het opstel in haar tas. Puck gaf geen krimp, omdat hij weer met zijn ogen open sliep.

Meneer Horn keek naar Puck. 'Ik hoop dat dit je aan het denken zet, Noah.' Als je het niet wist, zag Puck er inderdaad uit alsof hij diep in gedachten verzonken was. Misschien overwoog hij zijn toekomst als hamburgerbakker in Lima.

De bel ging en leerlingen veerden op, propten hun opstel in hun tas en verzamelden de rest van hun spullen. Puck bewoog niet en Artie gaf hem een por tegen zijn schouder terwijl hij langsreed.

Puck schrok wakker. In zijn witte thermo longsleeve en

flanellen shirt waar de mouwen vanaf gescheurd waren zag hij er helemaal uit als de jongen die je in de kast van de conciërge opsluit. 'Ik wou je alleen maar waarschuwen dat de les is afgelopen,' zei Artie snel.

'O, bedankt.' Puck stond op en rekte zich uit. Man, niets was zo lekker als een middagdutje. Hij had gedroomd dat hij gestrand was op een tropisch eiland met het vrouwelijke beachvolleybalteam.

'Ga je naar de repetitie?' vroeg Artie, nieuwsgierig of Puck weer eens ging spijbelen. Het was raar om het met een jock over Glee te hebben. Puck was ongeveer een maand nadat meneer Schuester coach werd ook lid geworden. Artie had het vermoeden dat hij dat alleen maar had gedaan zodat hij met Santana en Brittany naar bed kon. Samen met Quinn waren de twee Cheerios bij de oorspronkelijke bezetting van de Glee Club gekomen die eerst uit Kurt, Mercedes, Rachel, Tina en Artie bestond. Nadat Finn mee was gaan doen, waren een paar andere footballspelers hem gevolgd en daardoor was de club al een stuk stoerder geworden. Hij wist dat Puck het leuk vond om mee te doen, ook al kwam hij soms te laat. Artie vermoedde dat Pucks gebrek aan stiptheid een van de bouwstenen van zijn stoere imago was.

'Ben ik je vriendinnetje soms?' sneerde Puck. Hij keek nauwelijks naar de F op zijn opstel voordat hij het in zijn achterzak stak. Hij pakte zijn rugzak. 'Ja, ik ga naar de repetitie. Maar, eh, blijf een beetje uit mijn buurt met die wielen van je.'

Artie zag dat Puck zijn exemplaar van *Cyrano* op zijn tafeltje had laten liggen. 'Hé, je vergeet je huiswerk.'

Puck lachte en duwde het boekje ook in zijn rugzak. 'Man, ik heb al twee jaar geen leesopdracht meer gedaan.'

Dat is te zien, dacht Artie. Hij profiteerde van Pucks aanwezigheid, ook al liep die een paar meter voor hem uit door de schoolgangen. De meisjes waren gek op Puck en de jongens doodsbang voor hem. Iedereen keek ook naar Artie, waar hij niet aan gewend was. Normaal gesproken deden ze allemaal net alsof ze hem niet zagen.

Toen ze bij het muzieklokaal aankwamen sprong Rachel op van de pianokruk zodra ze hen zag. 'Eindelijk,' zei ze, en ze keek Artie met haar donkerbruine ogen beschuldigend aan alsof hij er eigenhandig voor had gezorgd dat ze vertraging hadden opgelopen. 'We hebben op jullie gewacht!'

'De bel is ongeveer drie minuten geleden gegaan!' riep Artie verontwaardigd en hij reed zijn stoel naar Tina die met een tekenblok op schoot zat. Kurt zat aan de andere kant en keek op zijn mobiel naar een modeshow van een lentecollectie op YouTube. Brittany en Santana waren achterin danspasjes aan het oefenen. Finn gaf Puck een high five en iedereen draaide zich om naar Rachel die leider werd van de club als meneer Schuester afwezig was.

'Jullie willen natuurlijk allemaal heel graag weten wat voor een prachtig nummer ik heb kunnen vinden sinds we elkaar vanmiddag zagen.' Rachel wreef opgewonden in haar handen. 'Dus wil ik jullie niet langer in spanning laten.' Twee bruine papieren zakken stonden voor haar op de grond. Ze haalde een stapel zwart-wit gestreepte shirts uit de ene zak. Ze gooide de stapel naar Kurt, die ze snel uitdeelde. Daarna dook ze in de andere zak en begon gekleurde baretten als frisbees door het lokaal te gooien naar de rest van de mensen. Toen ze de laatste pakte, zette ze die op haar eigen hoofd. '*Lady Marmalade, n'est-ce pas?*'

Mercedes hield haar paarse baret voor zich uit alsof hij stonk. 'Je weet toch wel dat dit nogal cliché is, hoop ik? Ik bedoel, in Frankrijk ziet niemand er echt zo uit.'

Rachel rechtte haar rug. Ze was voor het team, en geloofde in de vrijheid van meningsuiting, en dat soort dingen, maar soms wist ze gewoon meer dan andere mensen en was het handig voor iedereen als ze haar simpelweg vertrouwden. 'Dat is niet waar. Het is helemaal van deze tijd en de kleren zijn traditioneel Frans...'

'Ik weet het niet, Rachel.' Finn hield onwennig een zwart-wit gestreept shirt tegen zich aan. Door de rode baret op zijn hoofd leek hij een beetje op een clown. Ik lijk wel een mimespeler. Wat vinden jullie?'

Rachel gaf Finn bewust geen antwoord en de ongemakkelijke stilte die daardoor ontstond duurde gelukkig niet lang omdat er nog meer mensen hun twijfel over de kleren uitspraken.

'Is "Lady Marmalade" geschikt?' vroeg Artie. Hij draaide de baret onhandig rond op zijn wijsvinger. 'Het refrein zegt zo ongeveer...'

'Als je een ander Frans liedje weet te verzinnen dat zo'n goede mogelijkheid biedt om je zangtalent te tonen, laat maar horen.' Rachel zette haar handen in haar zij en keek neer op Artie, die alleen maar zijn schouders kon ophalen. 'Dat dacht ik ook.'

'Maar...' begon Mercedes.

'Wie is hier in Frankrijk geweest? Nou? Behalve ik dan?' Rachel schreeuwde het bijna tegen Mercedes. Ze glimlachte tevreden toen niemand iets zei. Ze mag dan wel een baby geweest zijn toen haar papa's haar meenamen, maar ze stond al vroeg open voor indrukken en ze wist zeker dat de Franse cultuur door haar babyhuidje was gedrongen. Ze zorgde ervoor dat ze Finn niet aankeek terwijl ze praatte, want Quinn zat als aan havik te kijken of Rachel zich aan de afspraak hield, ze wist bijna zeker dat ze zich niet eens tot Finn in een groep mocht richten. Waarom had ze deze domme deal ooit gesloten?

'Ik vind het een heel goed idee.' Meneer Schuester kwam het lokaal binnen met een tas die uitpuilde van opstellen. 'Sorry dat ik te laat ben, mensen. Maar ik ben het helemaal met Rachel eens.' Hij leek bijna verbaasd over zichzelf. '"Lady Marmalade" is een geweldige keus.'

Quinn stak haar hand op maar begon al te praten. 'Rachel, wanneer heb jij de tijd gevonden om van het schoolterrein af te gaan en die fantastische kleren te kopen?' Quinn popelde om Rachel erin te luizen, het maakte haar niet uit waarvoor, en als ze wist dat Rachel stiekem onder schooltijd was gaan shoppen, kon Rachel haar moeilijk dwingen om tot het einde der tijden naar werkelijk elke Glee-bijeenkomst te komen. Quinn vond dat ze wel wat extra's verdiende nu ze zwanger was, en Rachel verdiende een koekje van eigen deeg.

'Die baretten zijn van mij,' zei Kurt. Op zijn hoofd droeg hij keurig een donkerblauwe baret en het stond heel normaal bij hem. 'Rachel sms'te mij in mijn tussenuur en legde uit dat ze dringend kostuums nodig had. Gelukkig heb ik een mooie collectie baretten omdat ze vorige lente erg in waren.'

'Wat, is baret in? De kaas?' fluisterde Brittany tegen Santana. 'Wist ik helemaal niet.'

'Je bedoelt brie, niet baret,' fluisterde Santana terug.

Quinn kneep haar ogen samen. 'En de shirts?' Ze rook even aan het T-shirt. Het rook vaag naar kelder.

'Ik heb ze geleend van madame Dimmig, de docent Frans,' legde Rachel uit. Leuk geprobeerd, Quinn, dacht Rachel. 'De afdeling Frans heeft vorig jaar een jongleeract op de Multiculturele Show gedaan en iedereen heeft zich toen als mimespeler verkleed.'

'Zie je wel!' Finn ging staan. 'Ik zei toch dat het mimeklеren waren.'

Rachel beet op haar lip. Finn keek haar recht aan en hij zou haar echt erg onaardig vinden als ze hem bleef negeren. De afspraak was heel oneerlijk. Het enige goede eraan was dat Quinn en de Cheerios aanwezig waren, klaar om het nieuwe nummer in te studeren. Het zou niet makkelijk worden en ze hadden niet veel tijd om het nummer te leren voordat de Franse leerlingen er morgen waren, dus zij had hun volledige inzet nodig. Ze keek naar Finn. Zijn haar was de laatste tijd langer geworden en hing losjes over zijn voorhoofd. Rachel wilde zijn haar uit zijn ogen wegstrelen.

Waarom was Finn de prijs die ze moest betalen?

Aan de andere kant van het lokaal keek Quinn nog steeds naar Rachel. Ze had Mevrouwtje Zonder Foutje dan niet kunnen betrappen op spijbelen, maar het was erg leuk om te zien hoe Rachel zich zowat verslikte elke keer dat ze zich rea-liseerde dat ze niet met Finn kon praten. Had ze maar niet zo'n bazige controlfreak moeten zijn.

Meneer Schuester deelde de bladmuziek uit. Uit ervaring wist hij dat hij de discussie het beste kon oplossen door ze te laten doen wat ze het leukst vonden van allemaal, zingen. 'Begin maar bij het begin!'

5

Kantine van McKinley High, lunchpauze, dinsdag

Ter ere van de Multiculturele Week kregen de onderbetaalde keukenmedewerkers van William McKinley High die week de extra taak om de kantine elke ochtend voordat de lunchpauze begon van een nieuwe themaversiering te voorzien. Dinsdag was Mexicaanse dag. Aan de gele muren van de kantine hingen vrolijk gekleurde sombrero's en aan het plafond bungelden heel verleidelijk zes oude piñatas die ongetwijfeld ergens in de voorraadkelder hadden liggen verstoffen. Ze hingen te hoog om ze te kunnen slaan, maar een paar ondernemende leerlingen waren op een stoel gaan staan en hadden ze met boeken bekogeld in de hoop ze stuk te gooien en beloond te worden met een regen van snoep, wat er helemaal niet in zat.

De kantinechef was bevriend met de eigenaar van Aztecs, een kleine keten Mexicaanse restaurants in Ohio, en had voor een laag prijsje een paar tonnen van de *queso*-saus gekocht waar Aztec zo bekend om stond. Het werd in de burrito's gesmeerd, over de enchilada's en *relleno's* gegoten en op de nacho's gedrupt. De gespierde footballspelers (iedereen bleef ze footballspelers noemen ook al was het footballseizoen afgelopen en speelden ze nu basketbal) gingen een tweede en een derde keer in de rij staan voor nog een portie en zelfs de Cheerios, die door Coach Sylvester op een heel streng dieet waren gezet en een trainingsschema volgden, genoten duidelijk van het eten, ook al aten ze niet veel.

Kurt sneed zijn met queso-saus doordrenkte bonenburrito netjes in stukjes terwijl hij zag hoe Quinn een nacho van Finns bord stal. De populaire leerlingen hadden de beste tafels in de kantine: de tafels die op het schoolplein uitkeken, dat in deze tijd van het jaar overdekt was met een dik pak sneeuw. De picknicktafels op het plein, waar je in het warme weer om moest vechten, waren onherkenbaar onder de halve meter sneeuw die de sneeuwstormen van de laatste paar weken met zich hadden meegenomen. 'Waarom zitten ze nog steeds naast elkaar als het uit is?'

Kurt zat met zijn dagelijkse lunchmaatjes – Mercedes, Artie en Tina – aan een ronde tafel in de hoek van de kantine. Rachel kwam er meestal ongevraagd bij zitten, maar deze keer had ze gezegd dat ze alleen maar een appel en een ontbijtreep had meegenomen omdat ze nooit veel at vlak voor een optreden. De Fransen zouden binnenkort aankomen en de Glee-kids waren benieuwd hoe ze eruitzagen. Kurt vond dat Finn er in elk geval erg goed uitzag.

'Populariteit wint het van liefde,' verklaarde Artie en hij veegde zijn handen af aan een verfomfaaid servetje. Die burrito's waren waanzinnig lekker. 'Je kunt de popi's niet splitsen alleen omdat het uit is tussen de king & queen.'

'Ik ben het zat om over Quinn en Finn te praten,' zei Mercedes. Ze droeg een T-shirt van Michael Jackson in zijn rode leren jas en daarover hing een gouden ketting met haar naam. 'Er zijn meer mensen op aarde.'

'Wat denken jullie van die Franse gasten die komen?' vroeg Tina en ze zette haar voeten, die in loodzware legerkistjes waren gestoken, op een stoel. 'Denk je dat ze aardig zijn?'

Mercedes wreef haar handen in elkaar en keek stout. Ze had al een burrito op en overwoog om er nog een te halen. 'Wat maakt dat nou uit? Hoop dat er een paar knapperds bij zitten. We kunnen wel wat extra lekkers gebruiken hier.'

'God, dat hoop ik ook.' Kurt voelde aan zijn zorgvuldig gestylede haar. 'Ik hoop dat ze eruitzien alsof ze zo uit een Truffaut-film komen lopen.' Truffaut was zijn favoriete buitenlandse filmregisseur en de mensen in zijn zwart-witfilms waren zo elegant en volmaakt dat ze bijna onmenselijk waren.

'Nou, ik hoop alleen maar dat ze aardig zijn.' Tina keek

naar haar bord en haalde het overgebleven stukje enchilada door de saus. Ze keek naar Artie. Ze had echt geen idee wat er aan de hand was met hem. Hij had de laatste tijd afstandelijk gedaan en als Tina vroeg of er iets was, had hij gedaan alsof er niks aan de hand was, dus had ze maar niet doorgevraagd. Het was niet leuk, maar als hij haar bleef wegduwen, dan was dat vast omdat hij niet bij haar wilde zijn.

'Denk je dat ze heel erg goed kunnen zingen?' vroeg Artie en hij nam een slokje Fanta. Hij hoopte dat hij ooit naar Parijs zou kunnen, hoewel hij niet wist of je op de Eiffeltoren kon met een rolstoel. Daar moest toch haast wel een lift in zitten? Mensen konden vast niet helemaal naar boven lopen.

'Ik weet het niet.' Mercedes schudde haar hoofd. Ze wilde dat de Fransen góéd waren, maar niet súpergoed. In elk geval niet beter dan Glee, het muzieklokaal stond al stijf van de ego's. Mercedes hoopte ergens wel dat de Franse Gleeks een waanzinnige interpretatie uit *Les Misérables* zouden doen, zodat Rachel goed zou balen. Die bleef maar zaniken over haar favoriete musical. 'Ze hebben vast niet net zoveel uitgebreide zangtraining gehad als sommigen van ons,' herhaalde ze een van Rachels veelgebruikte uitspraken.

Puck liep langs met een blad dat overladen was met gekreukelde servetten en bleef even bij hun tafel staan. 'Wat die Fransozen ook zijn, je kunt er donder op zeggen dat alle meisjes een beetje van Puck willen proeven.' Hij voelde maar een heel klein beetje schuldgevoel toen hij besefte dat hij het zo hard zei dat Quinn, die terugliep van de kassa met een pakje magere melk, hem kon horen terwijl ze langsliep.

Quinn had hem natuurlijk gehoord, maar ze negeerde hem en praatte door met Santana over hoelang ze die middag nodig zouden hebben op de sportschool om de calorieën van de enchilada's te verbranden. Quinn at normaal gesproken alleen maar sla maar het Mexicaanse eten rook zo heerlijk dat ze was bezweken. Het enige voordeel van haar zwangerschap was dat ze kon eten waar ze zin in had zonder zich schuldig te hoeven voelen. Dat was wel fijn, na al die lunch-pauzes waarin ze alleen op ijsblokjes gekauwd had toen ze nog een Cheerio was.

Quinn vertrok geen spier toen ze Puck zo hoorde opschep-pen. Ze was het gewend, hij fokte haar graag op, alsof hij hoopte dat ze daardoor zou bezwijken voor zijn onweer-staanbare aantrekkingskracht. Sinds hun geheime relatie was er altijd een sexy spanning tussen hen gebleven, vooral toen ze nog met Finn was, en ook nu ze single was. Maar dat ging dus nooit meer gebeuren, baby of geen baby.

'Minstens drie kwartier,' zei Quinn beslist.

'Misschien als ik het afwissel. Ik denk dat het een uur is op de loopband.' Santana schroefde het flesje water open.

Quinn gooide haar blonde haar over haar schouder, wetend dat Puck waarschijnlijk naar haar keek. Ze waren een kat-en-muisspelletje aan het spelen, maar ze wist nooit precies wie er nou de kat was. Soms moest ze denken aan aardrijkskun-deles in het freshman jaar, toen meneer Papagni liet zien hoe twee magneten die elkaar afstootten, meteen aan elkaar ble-ven plakken toen hij de polen omdraaide.

'Puck is een manhoer,' zei Santana en ze propte een stuk kauwgom in haar mond. Ze bood Quinn een stukje aan, maar die schudde haar hoofd. 'Hij moet een toontje lager zingen. Moet hij niet even helemaal niks meer aanraken nu hij je met kind heeft geschopt?'

Quinn lachte lief terwijl ze zich in haar stoel liet glijden. Santana was nog niet helemaal over Puck heen, ook al deed ze het nu met Ryan Taylor, de *centre* van het basketbalteam. Quinn had eigenlijk verwacht dat Santana veel kwader op haar zou zijn geweest nadat ze ontdekt had wat ze met Puck had uitgespookt, maar hun vriendschap was eigenlijk niet zo heel erg veranderd. Misschien vond Santana het fijn dat Quinn nu niet meer de hoofdcheerleader was, of was ze op-gelucht dat zij niet degene was met een baby in haar buik (tegen alle verwachting in, zelfs die van haarzelf). Ondanks alles was het duidelijk dat Santana Puck nog steeds leuk vond. Quinn zuchtte. 'Hij kan er niks aan doen. Hij heeft gewoon veel te veel testosteron. Hij is vast behekst of zo.'

'Heb ik je al verteld wat Coach Sylvester gistermiddag over mijn dijen zei?' Santana keek naar haar slanke gespierde benen. 'Ze zei dat ze eruitzagen als twee zeekoeien in een rituele paringsdans. Ik had die queso-saus echt zo ontzettend moeten laten staan.'

'O, o. Het is zover,' zei Finn die tegenover haar zat en het langst van iedereen in de hele kantine was, en meneer Schuester de kantine in zag lopen. Hij klapte in zijn handen toen hij zijn Glee-kids zag en bleef het eerst bij de tafel van Artie en Kurt staan. 'Meneer Schu is er.'

'Jullie moeten je klaarmaken, jongens. Philippes club komt er bijna aan.' Meneer Schuester pakte Arties schouder een paar tellen vast voordat hij hem weer losliet. Hij had rode wangen van opwinding en zijn haar leek nog meer overeind te staan.

'We zijn er helemaal klaar voor, meneer Schu.' Kurt pakte zijn dienblad en stond op. Zijn barettenverzameling kreeg eindelijk een doel. De investering was niet voor niets geweest. Verminder, hergebruik, kringloop: het was zowaar een groen modestatement.

Muzieklokaal, dinsdagmiddag

'Ik lijk wel dat oude mannetje op de Verlaat Gratis de Ge-
vangenis-kaarten van Monopoly,' verklaarde Puck en hij
trok aan zijn strakke gestreepte T-shirt. De shirts pasten niemand echt goed. Ze hadden allemaal zwarte slimfit jeans aan
en zwarte laarzen, en natuurlijk de baretten op.

'Ik voel me nog steeds een mimespeler.' Artie trok zijn neus
op. Het kon hem meestal niet zoveel schelen hoe hij eruitzag.
Maar hij wilde een goede indruk maken op de Franse leerlingen. 'Of een gevangene.'

'Nee jongens, jullie zien er geweldig uit.' Meneer Schuester
keek vrolijk en zenuwachtig tegelijk, zoals altijd voor een optreden. Het was te zien dat hij goed presteerde onder druk en
leek altijd het gelukkigst vlak voor een optreden, als alles nog
mogelijk was. Maar hij droeg geen baret. 'Ik vind het heel
goed dat jullie dit in één dag tijd voor elkaar hebben gekregen. Applausje voor jezelf, hoor.'

Ze keken elkaar ongemakkelijk aan. Het leek allemaal…
verkeerd. De verwarmingen spuwden hete lucht uit waardoor het in het muzieklokaal ondraaglijk benauwd en droog
was. Erger nog: de geur van Mexicaans eten was tot in het
lokaal te ruiken. Voor de lunch rook het nog heerlijk, maar
nu ze het gegeten hadden, werden ze er allemaal misselijk
van. En dan waren er die rampzalige outfits. De T-shirts leken
niet op elkaar, en Kurt had ze in zijn tussenuur allemaal van
een beetje 'bling' voorzien. Arties shirt had een enorme Franse
lelie van kralen op zijn mouw en op Tina's shirt was een ketting van nepparels aan de hals genaaid.

'Ach, jullie hebben gewoon last van vlinders in je buik,' verklaarde meneer Schuester toen hij eens goed naar hen keek.

51

'Geloof me, jongens, dit nummer kunnen jullie in één keer goed doen.'

'Ik voel me gewoon... vreemd,' mompelde Quinn, en ze wreef over haar buik. De vlinders leken meer op duiven, zo hard gingen die vleugels tekeer in haar buik. Maar als ze om zich heen keek, leken een aantal andere Glee-kids zich net zo ongemakkelijk te voelen, dus het kon geen zwangerschapsmisselijkheid zijn. En waarom was het in het lokaal zo warm? Quinn had zin om in de witte sneeuw te duiken die ze door het raam in het zonlicht zag glinsteren.

Finn keek naar Rachel. Haar T-shirt had een wijde halslijn en ze had mooie schouders. Ze droeg een zwart plooirokje dat om haar heen zwierde als ze bewoog. Finn had geen idee hoe ze aan al die plooirokken kwam maar hij vond ze leuk. Hij was eraan gewend om een beetje met haar te kletsen voor een optreden om haar zenuwen een beetje tot bedaren te brengen – ze had het er dan meestal over dat Quinn vals zong, of dat Kurt geweldig zou zijn als hij eens een keer het dansje goed kon onthouden – maar ze keek hem deze keer niet eens aan. Hij begreep niet wat er aan de hand was – misschien kwam het door die Franse gasten. Rachel werd altijd zenuwachtig als ze dacht dat iemand de show ging stelen. Toch was het niks voor haar om zo stil te zijn.

'Ben je er klaar voor?' vroeg Finn. Hij voelde zich een beetje onhandig, omdat ze hem niet echt aankeek.

Rachel schrok. Ze keek hem heel even aan met paniek in haar bruine ogen. Maar toen ze haar mond opendeed, zei ze alleen maar: 'Mum mum mum mum mum.' Daarna draaide ze zich om en liep weg.

Finn keek naar zijn outfit. Hij wist dat Rachel de warming-up van haar stembanden heel serieus nam, maar dit was maf. Misschien kwam het omdat hij er belachelijk uitzag in het veel te strakke shirt met GLAM in cursieve letters op zijn mouw geborduurd. Hij had de rode baret in zijn handen en wilde dat hij er niet zo dom uitzag. Hij hoopte dat die Franse meisjes niet al te lekker zouden zijn.

'Maak je geen zorgen, jongens.' Meneer Schuester had zijn 'nu gaat het beginnen'-uitdrukking op zijn gezicht en danste zowat van de voorpret. Hij had het lokaal opgeruimd, de vieze cartoon op het bord gewist en de piano opgepoetst met een speciale zachte doek die onder de klep van de pianokruk lag. 'Ik weet dat jullie dit nummer niet heel strak geoefend hebben maar gisteren klonk het geweldig.'

'Ik ben niet lekker,' fluisterde Brittany tegen Santana. Ze trok aan haar coltrui om wat lucht te krijgen. 'Ik denk dat ik op het punt sta om boulimisch te worden.'

'Stel je niet aan,' siste Santana, hoewel ze zich ook niet goed voelde. Ze liep naar een raam, draaide het slot open en zette het wijd open. Een vlaag verademende koude lucht stroomde het lokaal binnen. 'Ze komen eraan!'

De Glee Club ging staan. Een lange, slanke man met een trendy zwarte bril liep het lokaal in. Hij knikte langzaam, alsof hij alles in zich opnam. Achter hem kwamen de leerlingen uit zijn club een voor een naar binnen en de Glee-kids probeerden om ze niet aan te staren. Meneer Schuesters gezicht straalde. 'Philippe! *Bienvenue à* McKinley High!' De twee mannen zagen elkaar na jaren weer en begroetten elkaar als Fransen: met drie zoenen op de wang en een stevige klap op de rug. Kurt keek bewonderend toe. Hij wilde dat Amerikanen elkaar op die manier begroetten. Het was zo stijlvol, en hij zou dan altijd van dichtbij de geur van Finns aftershave kunnen opsnuiven.

'Jongens, dit is monsieur Philippe Renaud, en dit is de Glee Club van Lycée de Lyon, in Frankrijk.' Meneer Schuester wees met een sierlijke zwaai naar de leerlingen.

Monsieur Renaud knikte bescheiden en zette zijn bril recht. In zijn grijze shirt en donkere broek zag hij eruit als een J. Crew-model. Zouden ze in Frankrijk ook J. Crew hebben? vroeg Kurt zich af. 'Het is een eer om hier weer te zijn.' Hij had een licht Frans accent waar de meisjes in Glee van rilden.

'Lekker,' fluisterde Santana tegen Brittany, en ze vergat de pijn in haar buik.

'Jammie,' fluisterde Brittany terug, en ze trok haar paarden-staart recht. Was het verkeerd als je het met een docent wilde doen? Misschien mocht het als hij niet jouw docent was?

'En dit is het Lycée de Lyon Chorale, of, zoals jullie het noemen, de Glee Club.' Monsieur Renauds knappe kin stak een beetje omhoog terwijl hij de rij leerlingen langsliep en hen een voor een voorstelde. 'Dit is Jean-Paul.' Een lange, sombere jongen in zwarte kleren met halflang zwart haar tot aan zijn kin. 'Celeste.' Een slank meisje met prachtige blonde Taylor Swift-achtige krullen tot over haar schouders. Alle jongens – behalve Kurt – bogen zich naar voren op hun stoel. 'Rielle.' Nog een schattig meisje met een jongens-achtig kapsel, een T-shirt met de naam van een Franse band erop, en lange leren laarzen. 'Gerard.' Een kleine gespierde jongen die zijn biceps aanspande toen zijn naam werd aan-gekondigd. 'Angelique, Marc, Claire, Nicholas, Aimee en Sophie.'

Artie was best verbaasd. Hij had verwacht dat de Franse leerlingen allemaal even lang slank en elegant zouden zijn. En ja, er zaten een paar mooie mensen bij, maar er zaten ook zeker een paar nerds bij. Een van de jongens – was dat Ni-cholas? – was best wel mollig, en een andere gast droeg een T-shirt met Asterix dat zo spiksplinternieuw was, dat het geen grap kon zijn. Blijkbaar had je overal nerds.

Maar alle andere jongens keken naar Celeste, die er lang en slank uitzag in haar jeans, witte T-shirt en zwarte getail-leerde blazer met opgestroopte mouwen. De andere span-nende leerling uit Frankrijk was Rielle, die een gitaar op haar rug droeg. Iedereen hield van een meisje dat gitaar kon spelen.

Achter in het lokaal wiebelde Quinn ongemakkelijk in haar stoel. Ze had een hekel aan mooiere meisjes. Er waren er niet veel op McKinley High, en tot een paar maanden ge-leden had ze zich nooit door hen bedreigd gevoeld. Nu wist ze dat het een kwestie van tijd was voordat haar vroegere aanbidders haar niet eens meer aan zouden kijken, behalve om naar haar dikke zwangere buik te staren. Daar kon ze mee leren leven, maar ze was niet blij met de manier waarop Finn naar dat blonde meisje lachte. Quinn wist hoe mooi hij Taylor Swift vond. Misschien was Finn vergeten hoe dom hij eruitzag in dat zwart-wit gestreepte shirt.

Meneer Schuester schraapte zijn keel. 'Beste mensen, ik wil even zeggen hoe blij ik ben dat we hier allemaal zijn. Ik weet zeker dat dit voor ons allemaal een waardevolle ervaring wordt, en dat we op cultureel en op muzikaal gebied veel van elkaar gaan leren.' Hij keek naar de Franse jongelui. Hij wist dat Europeanen veel beter vreemde talen spraken dan Amerikanen, dus hij wilde hen niet beledigen door te langzaam te praten. 'Ik vind het geweldig dat we samen kunnen optreden terwijl jullie hier zijn. Maar eerst wil ik jullie vragen om te gaan zitten en te genieten van een nummer dat we voor jullie hebben voorbereid.'

De Franse leerlingen gingen zitten en de Glee Club-kids gingen naast elkaar voor de piano staan. Ze probeerden het ongemakkelijke gevoel in hun buik te negeren. Rachel hoopte dat de Franse leerlingen niets hadden voorbereid, want ze zou er nu echt niet tegen kunnen als er ook maar één leerling meer talent dan zij had.

De pianist zette de muziek van "Lady Marmalade" in. Mercedes had de eerste solo. *Hey sister, go sister*, begon ze. Rachel hoorde dat ze er niet vol voor ging. Vreemd. Meestal was ze zo jaloers op Rachels status als ster dat ze alles gaf als ze zong om te bewijzen dat ze ook een diva was. Misschien had Mercedes geen zin vandaag. Rachel wíst dat ze de eerste solo had moeten nemen. Ach ja. Ze keek naar de Franse leerlingen en ze zaten allemaal mee te bewegen met een glimlach op hun gezicht. Ze leken zich eigenlijk prima te vermaken.

Maar toen Mercedes bijna klaar was met haar solo rende Tina het lokaal uit. Haar zwarte laarzen maakten irritant veel herrie op het linoleum.

Rachel fronste haar wenkbrauwen. Dat was niet erg professioneel van Tina. Oké, ze was niet zo'n geweldige danseres, maar ze wist echt wel dat ze niet het lokaal uit moest dansen.

Bij het eerste refrein van *Voulez vous coucher avec moi* racete Brittany weg met haar hand voor haar mond. Hé, dat is echt vreemd, dacht Rachel, en ze ging een beetje harder zingen om het verlies van twee zangers te compenseren.

Will Schuester, op de eerste rij, keek verward. Wat was hier aan de hand, was dit een grap? Maar drie seconden later rende Puck weg, met zijn handen op zijn buik. Direct daarna verdween Kurt en vervolgens vluchtte de een na de ander het lokaal uit. Alleen Rachel bleef zingen.

Rachel stond midden in het lokaal en zong het refrein in haar eentje. Ze vroeg zich af of de club een geintje met haar uithaalde. Niet dat ze het nou zo erg vond om een heel grote solo te hebben, maar dit was wel erg vreemd. Maar ja, een echte artiest maakte er altijd het beste van, en ze gaf het optreden gewoon de honderdtien procent die ze altijd gaf. Ze danste en keek alle leerlingen enthousiast aan. En toen het nummer was afgelopen, maakte ze een bescheiden buiging.

De Franse leerlingen applaudisseerden beleefd. Ze keken elkaar aan en probeerden niet te giechelen. Het was heel vreemd dat het optreden er deels om had gedraaid dat de leerlingen een voor een het lokaal uit renden, op één meisje na. Het was ook raar dat het mooie meisje met het donkerbruine haar Franse woorden zong, die letterlijk betekenden 'wil je vanavond met mij naar bed', terwijl ze een tuttig zwart plooirokje en witte kniekousen met roze strikjes aanhad. Dat leek hun een beetje dubbelzinnig, ook al had ze heel enthousiast gezongen alsof ze het echt meende. Misschien was het dus toch waar wat ze zeiden over de Amerikanen: dat ze heel open waren over seks en ook nogal plat. En dat blonde meisje leek zwanger, was dat ook een grap? Rare mensen, die Amerikanen.

'Het spijt me, Philippe.' Will stond op. Hij glimlachte verontschuldigend. Was dit nu het optreden waarmee ze een goede indruk wilden maken? 'Ik moet even kijken wat er aan de hand is met mijn leerlingen. Rachel, wil jij alsjeblieft, eh, het Lycée de Lyon Chorale vermaken?'

Rachel straalde. 'Natuurlijk.' Ze wilde dat ze elke dag mensen mocht 'vermaken'. 'Ik moet bekennen dat ik *Les Misérables* een van de meest perfecte musicals vind in de hele wereld.'

Een aantal leerlingen lachten stiekem zodat Rachel het niet kon horen. Het blonde meisje met dat belachelijk mooie haar – Celeste – gaf antwoord. Ze begon voorzichtig, maar haar Engels was best goed. 'Ik hou zelf van de Amerikaanse musical *West Side Story*.'

Rachels bruine ogen werden groter. 'Dat is mijn andere favoriet.' Al snel bespraken ze muziektheater en opperden een paar Franse leerlingen wat hun droomrol zou zijn. Rachel was blij dat de Franse leerlingen zo aardig waren, maar ze vond het wel een beetje vervelend dat Celeste dacht dat de rol van Maria in *West Side Story* 'voor haar geschreven was.' Misschien lag het aan haar gebrekkige Engels, maar Rachel wist dat áls de rol van Maria voor iemand geschreven was', dat toch zeker voor Rachel Berry was geweest. Ze was echter te beleefd om Celeste hierop te wijzen.

Een paar minuten later kwam meneer Schuester in zijn eentje terug met een verdrietige utdrukking op zijn gezicht. 'Mensen, ik betreur wat er gebeurd is. Het ziet ernaar uit dat iedereen een beetje... onwel is geworden van bedorven Mexicaans eten vanmiddag.'

De meisjes trokken een vies gezicht. Rachel was niet eens verbaasd. Als je een bord eten uit de kantine bekeek en niet kon zien of het eten plantaardig of dierlijk was, was dit geen goed teken. In het freshman jaar was ze een handtekeningen-actie begonnen om te eisen dat er minimaal één vegetarische maaltijd per dag werd aangeboden. Ze had maar twee handtekeningen verzameld. Een daarvan was van Jacob, die haar had gevraagd of het klopte dat meisjes geil werden van groene groenten. Ze had de handtekeningen weggegooid.

Will Schuester pakte zijn leren tas van de tafel en haalde er een papier uit. Hij hing het met een stuk plakband op het schoolbord. 'Hier hangt een lijst met namen. Ik heb samen met monsieur Renaud iedere Franse leerling aan een Amerikaanse gekoppeld die je deze week de school laat zien. Jouw Amerikaanse partner wordt je gids en leert je alles over het leven op een Amerikaanse high school. Morgen zal iedereen vast weer kiplekker zijn. Het worden jullie mentoren en vrienden tot het grote optreden in de Multiculturele Show.'

Rachel straalde weer. Ze voelde zich een beetje raar, omdat ze de enige Amerikaan was die bij meneer Schuesters toespraak was, maar het was een eer om haar landgenoten te mogen vertegenwoordigen. Het was jammer dat de leerlingen uit Lyon zo'n ranzige eerste indruk kregen van McKinley High.

Will Schuester glimlachte flauwtjes en hoopte dat de rest van de Glee Club snel terug zou komen. Hij zou eens een hartig woordje spreken met de kantine over het feit dat ze zijn leerlingen zo ziek gemaakt hadden. Hij wilde dat ze de tijd hadden om hun Franse partner te leren kennen die middag, maar het zag er niet naar uit dat dit nog ging lukken. Ze zouden heel hard moeten werken om de eerste indruk te verbeteren, die niet bepaald florissant was geweest.

Rachel zag dat meneer Schuester op de klok keek. 'Als u wilt kan ik voor onze Franse gasten wel een korte medley zingen van de liedjes die we dit jaar gezongen hebben.'

Will zuchtte diep. Was het gemeen van hem om te balen dat bij uitstek Rachel als enige leerling geen voedselvergiftiging had? 'Rachel, waarom ga je niet even bij de meisjes kijken hoe het met hen gaat? Ik moet misschien met monsieur Renaud een nieuw plan voor deze week bedenken.'

'O.' Rachel was niet van plan om haar teleurstelling te tonen. Ze was er wel aan gewend dat meneer Schuester haar dwarsboomde. Hij probeerde haar altijd tegen te houden, wat ze niet kon begrijpen. Ze was de meest getalenteerde leerling die... nou ja, ooit, de gangen van McKinley High had betreden.

Ze liep rustig weg, liet niks merken, wuifde vriendelijk naar de Franse leerlingen en zei netjes '*Au revoir*'. Niet echt een briljante afsluiting, maar voorlopig was het prima.

7

Gang van McKinley High, woensdagochtend

Omdat de leerlingen dinsdagmiddag niet snel bijkwamen van het Mexicaanse voedselvergiftigingdrama, had meneer Schuester zijn plan moeten laten varen om iedere Franse leerling aan een Amerikaanse mentor te koppelen. In plaats daarvan had hij samen met monsieur Renaud een nieuw en misschien zelfs wel beter kennismakingsplan bedacht. Iedere Franse leerling kreeg een foto van zijn of haar Amerikaanse partner, gekopieerd uit het William McKinley High Schooljaarboek, en een plattegrond van de school met een pijl bij de plek waar de locker van die leerling zich bevond. Will Schuester dacht dat de leerlingen zo op een interessante manier aan elkaar gekoppeld zouden worden en dat dit hopelijk het begin zou zijn van een langdurige vriendschap.

Natuurlijk zijn goede bedoelingen geen garantie voor succes, zoals woensdagochtend al snel bleek. Voordat de eerste les begon zwierven her en der eenzame Franse leerlingen door de gangen van McKinley High. De verwarde leerlingen werden de hele tijd opzij geduwd door stevige basketbalspelers die er niet van hielden als je in de weg stond. Rachel, hulpvaardig als ze was, zag een paar verdwaalde leerlingen in Europees-uitziende kleren en stuurde ze in de richting van de lockers van hun mentor. Met een tevreden glimlach liep ze naar haar eigen locker, benieuwd wie haar partner was.

Een lange, lenige jongen – bijna al die Fransen waren zo mager dat Rachel zich afvroeg wat ze aten – in een zwart T-shirt en een vale zwarte skinny jeans stond tegen Rachels locker aan met een vervelende uitdrukking op zijn gezicht. Hij bekeek de stroom Amerikanen die met een volgepropte rugzak langs hem liepen. Hij zag er onmiskenbaar Europees uit, vond Rachel, met zijn lange neus en de manier waarop zijn donkere haar in een lage paardenstaart zat samengebonden.

'Goedemorgen!' riep Rachel vrolijk. De jongen maakte zijn ogen met moeite los van de leerlingen die door de gang liepen en keek Rachel chagrijnig aan. Zijn ogen hadden een verrassend licht grijsblauwe kleur. 'Jij bent vast Jean-Paul. Ik ben Rachel Berry en ik ben jouw mentor tijdens jouw verblijf hier. Welkom op McKinley High!'

De jongen reageerde niet. Rachel zag twee witte snoeren die van zijn oren naar zijn broekzak liepen. Hij luisterde naar zijn iPod.

Rachel fronste even met haar wenkbrauwen en tikte met haar vinger tegen haar oor. Ze hoopte dat dit het internationale teken was voor 'haal die oordopjes uit je oor'. Tot haar verbazing deed de jongen wat ze vroeg, al liet hij er een in zijn oor zitten.

'Ik ben Rachel Berry,' zei ze. Deze keer hield ze haar welkomstspeech kort, maar haar stem bleef opgewekt. Ook al leek die jongen niet bepaald enthousiast, toch was ze van plan om de beste mentor ter wereld te zijn.

'Jean-Paul.' Jean-Paul legde zijn hand op zijn hoofd en gaapte.

'Ja, dat weet ik.' Ineens zag Rachel dat haar foto – het kopietje van de jaarboekfoto die meneer Schuester aan Jean-Paul gegeven had zodat hij haar kon herkennen – op de grond lag en tot een propje verfrommeld was. Dat was niet alleen onbeleefd, het was ook afval veroorzaken. 'Ik, eh, heb monsieur Renaud gevraagd om de lijst met alle leerlingen en hun partner.' Ze wilde ervoor zorgen dat de rest ook een uitstekende mentor was. Een paar Glee-kids konden echt lui zijn, maar ze ging er haar best voor doen dat McKinley High trots kon zijn op de manier waarop de Glee Club de school vertegenwoordigde bij de Franse leerlingen.

Jean-Paul reageerde niet. Hij speelde met zijn oordopje, alsof hij overwoog om het weer in zijn oor te steken.

'Heb je nog steeds last van jetlag?' vroeg Rachel beleefd.

Ze deed alsof ze de kauwgom die op haar locker geplakt was, niet zag. Het was tenminste niet van hem, ze vond nu al twee weken lang knalroze kauwgom op haar locker.

'Nee.' Jean-Paul keek langs Rachel naar een punt in de verte. Hij had eigenlijk heel mooie ogen, en hij zou ook best aantrekkelijk kunnen zijn als hij ook maar een ietsepietsie beleefder deed. Maar misschien was hij alleen maar zenuwachtig om zijn slechte Engels? Rachel voelde zich wat beter bij die gedachte, en nam zich voor om meer te praten zodat Jean-Paul nog wat Engels van haar kon leren. Ze kon tenslotte foutloos articuleren.

'Het eerste uur begint straks pas en ik zou het leuk vinden om je de aula te laten zien waar we zaterdagavond op de Multiculturele Show gaan optreden.' Jean-Paul zei niets, waaruit Rachel opmaakte dat hij geen interesse had. Rachel probeerde snel iets anders. 'Of ik zou je de bibliotheek kunnen laten zien. We hebben een middelmatige verzameling bladmuziek, hoewel die heel weinig nummers van na 1998 heeft.'

Geen enkele reactie in Jean-Pauls ogen. Hij staarde in de verte, de blik op oneindig.

Rachel werd zenuwachtig. Ze was er wel aan gewend dat mensen probeerden haar te negeren maar dat hielden ze nooit lang vol. Ze draaide zich maar eens om, om te zien waar Jean-Paul al die tijd naar keek. Aan de andere kant van de gang stond Finn bij zijn locker. Hij was geconcentreerd aan het praten met Celeste, het mooie blonde meisje. Rachel had gehoord dat zij de ster van de groep was. Finn droeg een William McKinley High Athletic Department-T-shirt en een blauwe hoodie met gerafelde mouwen.

Ze keek naar Jean-Paul. 'Dat is Finn Hudson. Hij is de football quarterback en ook de forward van het McKinley basketbalteam, en ze hebben dit jaar nog geen een wedstrijd verloren.' Finn speelde in de lente ook honkbal, als de derde man op honk, maar ze wist niet hoeveel ze over Finn kon vertellen zonder als totale stalker over te komen.

'Echt?' vroeg Jean-Paul, en hij rechtte zijn rug. Zijn blauw-grijze ogen toonden ineens een klein beetje belangstelling. 'En hij zit in jullie Glee Club?' Zijn Engels was eigenlijk ver-rassend goed, dacht Rachel, voor iemand die te verlegen was om in een vreemde taal te praten.

'Ja, hij is de beste bariton,' schepte Rachel op. Nu Jean-Paul ineens tot leven was gekomen, werd Rachel ook een stuk vrolijker. Jean-Paul was vast verlegen omdat hij aan een Amerikaans meisje gekoppeld was, misschien wilde hij liever weten wat de jongens allemaal deden. Nou, dat was geen enkel probleem voor Rachel, want Finn was een van haar lievelingsonderwerpen. Ze wist bijna zeker dat ze meer over Finn kon vertellen dan zijn eigen moeder.

Jean-Paul knikte. 'Dat is erg interessant.'

Rachel straalde. Ze mocht dan niet mét Finn praten door die stomme afspraak met de wraakzuchtige Quinn Fabray, maar ze mocht wel óver hem praten.

Finn leunde tegen zijn open locker met zijn rugzak aan zijn linkerschouder. Hij had echt ongelofelijk veel mazzel dat Celeste zijn partner was. Misschien vond meneer Schuester dat hij Finn iets verschuldigd was, of zo, of misschien wilde hij hem gewoon tevreden houden zodat hij bij de Glee Club bleef. Ach, Finn wilde het eigenlijk ook niet weten, hij had gewoon mazzel en dat was mooi. Toen hij die ochtend op school kwam en dat lekkere blonde meisje voor zijn locker had zien staan, met zijn foto in haar hand, was het alsof hij droomde. Ze had een leuke witte trui aan met een V-hals, strakke zwarte jeans, en zwarte pumps. De leerlingen van McKinley High staarden naar het paar en vroegen zich af wie het mysterieuze nieuwe meisje was en waarom ze een foto van Finn bij zich had.

'Ik ben Celeste,' had ze gezegd, naar voren buigend om hem op de wang te zoenen.

Finn wist zeker dat hij gebloosd had toen hij zich een beetje naar haar toe boog en zij eerst de ene en toen de andere wang een kus gegeven had. Ze rook naar peren en zag eruit als een exotische Quinn met krullen, maar dan minder vertrouwd en dus heel erg sexy.

En ze was supergeïnteresseerd in alles wat hij te zeggen had. Terwijl hij zijn boeken voor het eerste lesuur pakte stelde ze hem allerlei vragen, over McKinley, en Ohio, en Amerika in het algemeen. Ze sprak geweldig goed Engels. 'Hoeveel leerlingen zitten op deze school? Waar zijn de grote steden in Ohio? Ben je ooit in New York geweest?'

Finn beantwoordde haar vragen zo goed mogelijk – hij wist niet echt hoeveel leerlingen op McKinley zaten en hij was nog nooit in New York geweest – en hij merkte dat hij telkens schaapachtig lachte om haar mooie lippen en schattige Franse accent.

'Je spreekt erg goed Engels,' zei Finn toen ze geen vragen meer stelde. Hij sloeg zijn locker dicht. Ze sprak echt goed Engels, veel beter dan dat hij Spaans sprak, wat hij al deed sinds de brugklas. Als hij nu in Spanje was zou hij nauwelijks kunnen vragen waar de wc was.

Celeste glimlachte blozend. Ze was dol op complimenten. 'Dank je wel. Dit is mijn vierde taal. Ik spreek ook Duits en Italiaans.'

'Wauw.' Finn stelde zich haar voor als een betoverend mooie supermodel-spion – een beetje zoals Syndey Bristow in *Alias*, een programma waar hij altijd naar keek als het op tv was – tot zijn dagdroom onderbroken werd door een gemene por tegen zijn schouder.

Hij draaide zich om en stond oog in oog met de woedend kijkende Quinn, haar armen over elkaar geslagen. Ze droeg een roze coltrui. Naast haar stond een nerdy Franse jongen met een bril met een donker montuur, zoals Artie had. 'Wat moet ik híér nou mee?' vroeg ze Finn, alsof haar Franse leerling, en die van Finn, geen Engels konden verstaan. 'Ik heb nauwelijks de tijd om voor mezelf te zorgen, laat staan voor een of ander duf Frans kind.' Jeetje, ze lijkt supergestrest, dacht Finn. Misschien zijn het zwangeremeisjeshormonen of zoiets.

'Aardig doen,' fluisterde Finn in Quinns oor. Ze was geen slecht mens of zo, maar ze was best wel een snob en deed altijd, nou ja, best onaardig tegen mensen. Finn had niet echt heimwee naar de tijd dat ze hem uitschold omdat hij niks had gezegd over haar kleren, of omdat hij te langzaam sprak, of omdat hij met Rachel gepraat had. Het was best vermoeiend. 'Ik ben Finn,' zei hij tegen de Franse jongen, om de ongemakkelijke situatie op te lossen. Hij stak zijn hand uit.

'Nicholas,' antwoordde de jongen, en hij schudde Finns hand. Hij sprak het uit als 'Ni-co-la,' wat Finn best grappig vond. Hij was blij dat Nicholas hem niet op de wang had gezoend. Niet dat hij dat erg vond van Celeste, maar een jongen… dat was andere koek.

'Quinn, dit is Celeste.' Automatisch deed Finn een stap naar achteren, alsof hij Quinn uit de weg wilde gaan. Quinn beschouwde hem nog steeds als haar bezit en deed heel vreemd over hem, waardoor Finn zich weleens afvroeg of ze achter zijn rug om aan meisjes vertelde dat hij een besmettelijke ziekte had, of dat ze het verbood om met hem te praten. Als voormalig hoofd van de Cheerios had ze nog steeds veel invloed.

Bij het zien van Celeste knepen Quinns ogen zich samen tot kleine spleetjes. Natuurlijk had meneer Schuester dat lekkere wijf weer aan Finn gegund, hij aanbad zowat de grond waar Finn op liep, waarschijnlijk omdat Finn alles was wat meneer Schu niet was toen hij op school zat. En natuurlijk moest hij Quinn martelen door haar de grootste sukkel uit de Franse club te geven. Het leek alsof meneer Schu haar strafte voor die idiote toestand met zijn ex-vrouw. Het was niet haar schuld dat Terri Schuester had gedaan alsof ze zwanger was en Quinns baby had willen adopteren. Quinn keek naar haar Franse partner, die te erg voor woorden was. Nicholas droeg zowaar een dás naar school. Niemand droeg een das, behalve de docenten en Kurt, alsof hij daarmee aangaf dat hij alles van mode wist.

'Welkom op McKinley High, Celeste.' Quinns stem klonk

zoeter dan zoet. Ze kon opzitten en pootjes geven als de beste en ze was niet van plan om – nu al – aan Celeste te laten merken dat ze een hekel aan haar had. 'Hoe vind je het hier tot nu toe?'

Celeste keek opzij naar Finn. Haar blauwe ogen namen hem op. 'Iedereen lijkt me erg aardig.' Haar lippen krulden omhoog in een glimlach.

Quinn stak haar handen in de kontzak van haar steeds strakker zittende jeans. Ze merkte dat Nicholas haar met zijn rattenogen begluurde maar ze keek hem nauwelijks aan. Ze had maar één gedachte: dat ze zichzelf nog liever van een brug gooide dan dat ze deze Franse del meer tijd met Finn gunde dan strikt noodzakelijk was. 'Geweldig. Ik denk dat het leuk zou zijn als we de hele dag alles met zijn vieren doen, vind je niet, Finn?'

Finn slikte. Hij keek naar Nicholas, die duidelijk niet Quinns prioriteit was. Ze was zo geobsedeerd door zichzelf, dat ze hem vast binnen vijf seconden zou dumpen als Finn er geen stokje voor stak. Hij stelde zich voor hoe dat arme joch door de gangen zou dolen en een slushie in zijn gezicht zou krijgen van de jocks die popelden om hem te initiëren in hoe het er op school aan toe ging. 'Natuurlijk,' zei hij. 'Goed plan.' Maf, hij had het gevoel dat hij Quinn aanbood om haar te helpen babysitten.

Hij keek naar Celeste, die beleefd glimlachte. Verbeeldde hij het zich nou of leek ze echt een beetje teleurgesteld? Hij hoopte het wel, eigenlijk. Misschien kreeg hij dan straks de kans om Celeste een beetje beter te leren kennen, zonder dat zijn ex er als een soort chaperonne bij zat.

8

Het kantoor van rector Figgins, woensdagochtend

Toen Will Schuester om de hoek gluurde naar de receptie voor het kantoor van de rector was hij opgelucht dat mevrouw Goodrich, de trouwe secretaresse van rector Figgins, er niet was. Ze was een lieve vrouw, maar ze had iets te goede herinneringen aan de tijd dat Will nog een leerling was op McKinley en ze probeerde hem nog steeds in zijn wang te knijpen, of een koekje te geven uit een zak in de onderste bureaula. Het was fijn als hij door kon lopen naar het kantoor van de rector zonder ongewenste intimiteiten, vooral omdat Philippe Renaud nu naast hem liep.

Will Schuester klopte met zijn knokkels op de open deur van het kantoor. Figgins had zijn leren draaistoel omgedraaid zodat hij het parkeerterrein voor scholieren in de gaten kon houden, speurend naar rookwolkjes van verboden sigaretten die leerlingen stiekem achter auto's rookten. Hij rende vaak de school uit om leerlingen op heterdaad te betrappen, ook al was de kans klein door het ijskoude weer in februari. Zijn schoenen stonden keurig onder zijn bureau geparkeerd. Hij had een piepklein gaatje in zijn sok bij zijn kleine teen.

'Figgins?' vroeg Will. Hij had altijd bewondering voor de onberispelijke netheid van het kantoor. Er lag bijna niets op het glanzende houten bureau, alleen een flatscreenbeeldscherm, een zilveren foto van zijn gezin, discreet naar hem toe gedraaid, en een bakje met potloden. Will wist dat hij een doos Kleenex klaar had staan in een bureaula, voor als een ouder moest huilen. 'Heb je even tijd om mijn vriend te ontmoeten?'

Rector Figgins draaide zijn stoel om. 'Natuurlijk, Will.' Hij klonk altijd vermoeid, zelfs als hij het niet druk had met een of ander dringend probleem. Maar middelbare scholen zijn broedplaatsen van veel conflicten en hij moest aan de lopende band brandjes blussen van verhitte ruzies tussen docenten over wie aan de beurt was om toezicht te houden in de kantine of op het parkeerterrein. Geen wonder dat hij drie verschillende pillen tegen een hoge bloeddruk moest slikken. 'Kom binnen.'

Will liet Philippe Renaud voorgaan. 'Dit is Philippe Renaud, directeur van het Lycée de Lyon Chorale, en dit is onze eigen directeur, rector Figgins, een groot kunstliefhebber.' Hij knipoogde naar rector Figgins. Figgins wás een groot kunstliefhebber, als het hem maar niet veel geld kostte.

Rector Figgins lachte en schudde de hand van Philippe. 'Het heeft geen zin om bij mij te slijmen, Will. Je weet dat ik niet de baas ben over alle budgetten.' Alles wat hij zei klonk altijd vriendelijk door zijn licht Indiase accent, iets wat goed van pas kwam als hij met ouders over hun slecht presterende kind moest praten, of met leraren over bezuinigingen. 'Ik hoop dat je leerlingen en jij het naar jullie zin hebben op onze school.'

Monsieur Renaud glimlachte enthousiast. Hij droeg een donkerblauwe bandplooibroek, een gestreken blauw overhemd en een blazer met manchetten die Kurt direct als een Armani herkend had. ('Ze zullen wel beter verdienen in Frankrijk,' had hij die ochtend tegen Mercedes gefluisterd, 'want we gaan meneer Schuester dus echt nooit zien in zoiets.') 'We hebben het erg naar ons zin, monsieur Figgins. Iedereen is erg vriendelijk en we voelen ons zeer welkom.' Dat was niet helemaal waar. Een van zijn leerlingen – Nicholas – had al verteld dat hij ge*slusht* was. Phillippe begreep het niet helemaal, maar het had te maken met een koud drankje in je gezicht krijgen. Het was vermoedelijk een initiatierite van een bende, of een geïsoleerd anti-Frans incident. Hij wilde het liever niet met de rector bespreken want de leerlingen leken het desondanks leuk te vinden.

'Mooi. Ik ben op huwelijksreis naar Parijs geweest.' Rector Figgins glimlachte vertederd en herinnerde zich de ontbijtjes met warme chocolademelk en croissants. Dat was voordat zijn vrouw hem op een streng cholesterolarm ontbijtregime had gezet van eiwit met meergranentoast – zonder boter. Wat was toast nou zonder boter? 'Er zijn daar heel mooie vrouwen.'

De deur bij de receptie van het kantoor sloeg met een knal dicht, en Will kreunde toen hij het bekende geluid van woedend stampende gympen over het fabriekstapijt hoorde naderen. Het was niet zozeer het geluid dat onmiskenbaar bij Sue Sylvester hoorde, als de woede die erachter zat. Niemand sloeg een deur dicht zoals zij dat deed, en niemand kwam met zoveel woede en zelfingenomenheid een kamer binnen. Hij herkende de voetstappen uit zijn nachtmerries. Een walm van oranje AA-drank dreef het kantoor in.

Een seconde later verscheen Coach Sylvester. Ze had de mouwen van haar bordeauxrode trainingspak opgestroopt en haar korte haar stond bij haar oren in punten overeind, alsof ze zichzelf uit woede of frustratie net bij de haren had gegrepen.

Ze negeerde Will en Philippe en ging recht voor Figgins' bureau staan. 'Ben je je ervan bewust dat de gangen van McKinley zijn verontreinigd met de geur van oude kaas, harige oksels en sigaretten?'

'Sue!' Rector Figgins ging staan. Als Sue van plan was om een rel te veroorzaken waarmee hij weer op de plaatselijke nieuwszender te zien zou zijn, was dat wel het laatste waar hij zin in had. Sue Sylvester had veel eigenschappen, maar gevoel voor culturele diversiteit hoorde daar niet bij, en dat was nogal stressvol voor Figgins tijdens de Multiculturele Week. Vorig jaar hadden Sue Sylvester en haar Cheerios Duitse Dag in de kantine geboycot, ze waren voor de kantine gaan zitten met oude foto's van Hitlerjugend waarboven teksten stonden als BRATWURST IS HET BEGIN VAN HET EIND, KINDEREN. Sue beweerde dat haar ouders beroemde nazi-jagers waren, maar dat gaf haar niet het recht om leerlingen te schofferen en vooral niet Heidi Gruber, die huilend bij hem verhaal was komen halen, waarop Sue had geantwoord: 'Ik eet geen braadworst, Heidi. Ik krijg mijn dagelijkse natrium binnen van alle kindertranen die ik veroorzaak. Dus huil maar lekker.' Het had wel even geduurd voordat het braadworstincident was opgelost.

'Er lopen hier een stelletje anti-Amerikanen rond die contact maken met onze leerlingen. Ik sta op het punt om de Immigratie & Naturalisatie Dienst te bellen om hier orde op zaken te stellen.' Met een gemak alsof het haar eigen kantoor was, leunde Sue achterover tegen de boekenplank waarop rector Figgins' verouderde encyclopedieën stonden en ze keek hem woest aan, hem uitdagend om tegen haar in te gaan.

'Heb jij enig idee hoe kwetsend jij nu bent?' Will was verbijsterd over haar domme opmerkingen. Niet dat ze veel afweken van de andere beledigingen die zij dagelijks uitte, maar het was gênant om ze aan te horen waar Philippe bij was. Wat zou hij nu wel niet denken van McKinley High? Will hoopte dat hij begreep dat niet iedereen er zo over dacht. 'Dit is Philippe Renaud, mijn goede vriend en de directeur van de Franse Glee Club. Die kids zijn zijn leerlingen.'

'O, hoi, William.' Sue Sylvester draaide zich naar hem om met haar zogenaamd vriendelijke glimlach. 'Ik zag je even niet onder dat magische regenwoud boven op je hoofd. Als ik een minihouthakker zou inhuren om die weerbarstige wortels om te hakken, zouden er ongetwijfeld talloze elfjes wegvliegen, huilend om de verwoesting van hun boomhuisje.' Ze haatte zijn haar met een bijna fanatieke obsessie.

'Rustig, rustig, Sue, en toon een beetje respect voor onze buitenlandse vrienden. Het is tenslotte Multiculturele Week en McKinley High kan wel wat multicultuur gebruiken.' Rector Figgins ging weer zitten. Hij voelde zich een beetje ongemakkelijk op zijn kousenvoeten en vond het veel fijner als ze uit het zicht waren, onder zijn bureau.

'Ik vind de Fransen leuk, Will. Echt.' Sue bekeek Philippe belangstellend. 'Ik vond ze leuk toen wij ze in de Tweede Wereldoorlog redden uit de handen van de nazi's, en ik vond ze nog leuker toen ze ons Zinédine Zidane gaven, hun World Cup-speler die zijn Italiaanse tegenspeler een kopstoot gaf nadat die iets beledigends over zijn moeder had geroepen, midden in de finale.' Het was haar mening dat alle professionele sporten gebaat waren bij wat meer agressie.

Philippe verbleekte zichtbaar en hij legde zijn hand op zijn buik. Wie was deze krankzinnige vrouw? Zij kon onmogelijk een docent zijn op deze school. Tenzij het Amerikaanse schoolsysteem compleet overhoop lag. 'Dat was een schande voor de Franse cultuurgeschiedenis. Het was heel onsportief.'

Sue's ogen puilden uit. 'Onsportief? Hij was een held. Reageerden alle Fransen maar net zo als...'

'Dank je wel, Sue,' onderbrak Figgins haar. Hij wilde niet weten hoe die zin zou eindigen. Hij wist dat het gevaarlijk was om Sue het woord te geven waar nieuwkomers bij waren. 'Zoals ik zei, het is een genoegen om onze Franse gasten te mogen verwelkomen, aangezien ze aanstaande zaterdag een optreden geven op de show.' Hij wreef zijn handen in elkaar, zodat het erop zou lijken dat hij zich daar inderdaad op verheugde. Hij zou blij zijn als deze hele multiculti-toestand achter de rug was en alles weer normaal was. Hij had de dag ervoor drie uur achter elkaar boven de wc-pot gehangen na het Mexicaanse eten en kon alleen maar crackers binnenhouden, zijn maag was nog steeds van streek. 'Ik heb een speciale gast uitgenodigd. Meneer George Doherty, de voorzitter van het schoolbestuur, zit in het publiek.'

'Komt meneer Doherty naar het optreden?' Wills hoofd tolde. Hij had gehoopt dat de voorzitter in de herfst naar de Sectionals zou komen kijken, maar er was een noodgeval geweest op de Lima Basisschool. Een kleuter had een overdosis klei binnen gekregen, en Doherty had de Glee Club niet kunnen zien. Misschien kregen ze nu de kans om een goede indruk op hem te maken.

Figgins knikte wijs, en leunde achterover in zijn stoel. 'Ja. En hij heeft beloofd om meer geld beschikbaar te stellen voor buitenschoolse activiteiten als de optredens hem bevallen.'

'Dat is een geweldige kans,' zei Will, zijn hoofd al vol ideeën voor het optreden van de Glee Club. Het moest iets klassieks zijn, iets wat de zestigjarige voorzitter Doherty zou aanspreken. Doherty zou het fantastisch vinden, vooral omdat de Lycée de Lyon-leerlingen erbij waren; multicultureler kon de show niet worden.

'Voor wie? Voor de *Cabaret*-piepende Glee-kids?' Sue rechtte woedend haar rug en gooide bijna de kleine zwarte wereldbol omver die op de boekenplank stond. Will vroeg zich af waar ze de energie vandaan haalde om zo bitter te blijven. Kwam het door de AA-drankjes? Ging ze meer gal spuwen door al die energieverhogende druivensuiker?

'Sue, relax. Dit is een geweldige kans voor alle buitenschoolse clubs van McKinley, niet alleen voor Glee.' Rector Figgins keek even op de klok op zijn beeldscherm. Deze dag was nog lang niet voorbij. Hij moest toezicht houden in de kantine, wat erop neerkwam dat je ervoor moest zorgen dat kinderen niet bij elkaar op schoot gingen zitten en ook geen eten naar de ramen gooiden. Hij wilde naar huis, op de bank liggen met een kop thee en lekker *House* kijken.

Sue legde haar handen op het bureau van Figgins en boog zich dreigend naar voren. 'Als dat zo is, dan eis ik dat mijn Cheerios ook mogen optreden. Als we al willen dat die kinderen iets opsteken van de Multiculturele Week, laat het dan in elk geval zijn dat prestatiegerichte winnaars bij alle schoolactiviteiten de meeste aandacht verdienen. Ik tolereer geen positieve discriminatie op deze school.' Bovendien, dacht Sue, kon ze makkelijk iets vinden om het extra geld dat de Cheerios dan zouden krijgen van voorzitter Doherty aan uit te geven, misschien wel hun eigen zelfbruindouche. Het was vermoeiend voor de meisjes om een paar keer per week naar Total Tan te moeten.

Nu was het Wills beurt om geïrriteerd te zijn. De Cheerios konden zowat bij elke gelegenheid schitteren – ze traden op bij elke basketbalwedstrijd – en toch moest Coach Sylvester zo nodig aandacht vragen op een van de weinige kansen die de Glee Club kreeg om voor de hele school op te treden. 'Het is een multiculturele show, Sue. Wat hebben de Cheerios met cultuur te maken?'

Rector Figgins zuchtte. Hij was het natuurlijk eens met Will, maar hij wilde voorkomen dat Sue Sylvester voor de zoveelste keer stennis ging schoppen. Hij had geleerd dat het veel makkelijker was om haar gewoon haar zin te geven. 'Sue, als jij een choreografie verzint die cultuur eert, mogen de Cheerios optreden.'

Sue sloeg triomfantelijk de handen ineen. 'Wij gaan culturele tolerantie en begrip met meer energie in meneer Doherty's keel rammen dan de eerste keer dat een moedervogel een worm in de keel van haar hulpeloze, ondervoede kuiken ramt. Kijk, en huiver, monsieur Le Fransoos.' Die Glee-kids waren irritant en die naar rijpe kaas meurende, deodorant hatende Fransozen die ze hadden geïmporteerd om haar te pesten, waren nog irritanter. De Cheerios zouden ze weleens op hun nummer zetten.

9

Biologielokalen, tussen de les, woensdagmorgen

'Vertel het me nog een keer? Wat is de Outback Steakhouse?'
Gerard, de Franse partner van Puck, haastte zich om Puck bij
te houden terwijl ze door de gang naar de biologieles liepen.
Hij was klein, maar hij liep als een lange jongen en nam
lange, zelfverzekerde stappen. Puck was tot de conclusie gekomen dat hij niet echt een loser was. Een paar van Pucks
basketbalvrienden liepen voor hen uit naar biologie en moesten vaak lachen om de dingen die Gerard zei. Hij had een
maffe obsessie met Amerikaans eten en stelde Puck en de
andere jongens de hele tijd vragen over de menu's van grote
restaurantketens die hij langs de weg had gezien van het
vliegveld naar Lima.

'Gast, hij weet niet wat Outback Steakhouse is. Dat is echt
dom.' Chris Cole, een van de basketbal *point guards*, leek
bizar genoeg ontdaan door dit nieuws.

'Dat heb ik je toch verteld. Outback Steakhouse is het
vette restaurant waar de MILF-serveersters me altijd stiekem
een gratis Bloomin' Onion geven als ik mijn gruwelijke Puck-
charme laat werken.' Puck en wat andere jongens begroetten
een footballspeler, die ondertussen een freshman in een wurg-
greep vasthield.

'Wat is een MILF?' Gerard keek bezorgd, alsof hij niet genoeg geleerd had in de tien jaar dat hij Engelse les had gehad.
Met zijn versleten jeans en oude New York Yankees-T-shirt
zag Gerard er best Amerikaans uit, ook al had hij meer gel in
zijn haar dan alle acteurs van *The Sopranos* bij elkaar. 'En
een Bloomin' Onion?'

Chris verslikte zich en kreeg zijn blauwe slushie bijna in
zijn neus. Een van de andere jongens gaf Gerard een goed-

keurend klopje op de rug. Ze kwamen niet vaak mensen tegen uit een andere cultuur. Deze gast uit Frankrijk was een soort buitenaards experiment; hij praatte Engels, maar hij wist helemaal niks van het leven.

'Man, hebben ze dan níks in Frankrijk?' vroeg Puck, half afgeleid. 'Ik had niet gedacht dat het bijna een derdewereldland was.' Ietsje verder, bij het drinkfonteintje, stond Finn. Hij had de boeken van zijn wrede blonde partner in zijn armen terwijl ze zich vooroverboog om een slok water te nemen. Ze had een zwarte strakke broek aan waar Puck allerlei fantasieën bij kreeg.

'Jullie hebben McDonald's, toch?' vroeg Jared Clark, de superlange jongen die elk jaar in de selectie van het basketbalteam zat omdat hij zo lang was, maar die nooit kon scoren. 'Klopt het dat ze mayonaise geven bij de Franse frietjes?'

'Man,' zei Gerard, die het veelgebruikte woord van de jocks had opgepikt. 'Ik begrijp die hele Franse frietjes niet. Waarom denkt iedereen dat ze Frans zijn?'

Puck onderbrak het culinaire debat door Gerard een klap op zijn schouder te geven. 'Hoe zit het met dat blonde chickie?' Puck stond stil voor een slok water bij de drinkfontein zodat hij Finn en het blonde meisje kon volgen terwijl ze naar de wiskundelokalen liepen.

Gerard stond ook stil en bleef op hem wachten. 'Celeste?' Hij haalde onverschillig zijn schouders op. 'Ze is prima.'

'Prima?' Puck ging rechtop staan en veegde zijn mond af met zijn hand. Zijn partner kon niet eens zien wie lekker was en wie niet; hij was teleurgesteld. 'En dat meisje met het korte haar? Die eruitziet als Tinkerbell?'

'Rielle. Ja, die is cool.' Gerard draaide zich naar zijn spiegelbeeld in de prijzenkast van de Cheerios en spande zijn spier aan. 'Ze speelt gitaar.'

Puck zuchtte en trok een vies gezicht. Het interesseerde hem niet dat ze cool was. Trouwens, hij kon zelf wel zien of een meisje cool was, dat zag je meteen. Hij hoopte dat Gerard zou zeggen dat ze van ruige jongens met mohawks hield die eruitzagen alsof ze motor reden, ook al hadden ze die niet. 'Het is zwaar oneerlijk dat ik niet aan een van die twee gekoppeld ben. Ik bedoel, nu wordt hun schoonheid verspild aan Finn, die van zijn leven nog nooit een deal heeft kunnen sluiten, en aan Artie, die in een rolstoel zit.' Hij had sowieso nog nooit gehoord van een jongen in een rolstoel die gescoord had.

Puck had niet door dat Gerard sneller was gaan lopen, alsof hij de basketbaljongens wilde inhalen. 'Ik ga echt proberen bij een van die twee te scoren. Misschien wel allebei, als ze geluk hebben.'

Gerard maakte een gek geluidje, alsof hij zijn neus ophaalde. Gerard, die Puck eigenlijk wel mocht en best stoer vond, was een tikje beledigd dat Puck hem niet als partner wilde. En hij vond het raar dat Puck zo abnormaal veel zelfvertrouwen had als het om meisjes ging.

Puck trok het zich persoonlijk aan. 'Denk je dat ik niet kan scoren bij een van de twee? Ze hebben zeker weten geen Puckster in Frankrijk, en ik wil wedden dat ze ook weleens wat anders willen proeven.' Misschien zou hij Rielle naar het Basketbal-Cheerios feest vragen vrijdagavond, aangezien het ernaar uitzag dat Celeste haar zinnen al op Finn gezet had.

Gerard zette een paar grote stappen totdat hij Chris en Jared had ingehaald. 'Ik heb ook een bord gezien voor iets wat Arby's heet. Wat is dat?' vroeg hij.

'Man, Fransen weten niks!' Chris begon de vele voordelen van de rosbiefbroodjes van Arby's uit te leggen. Gerard lachte. Deze gasten waren best grappig, niet bijster slim, maar zeker interessant. En als Puck het leuker vond om te chillen met duffe meisjes uit Lyon, moest hij dat vooral gewoon doen. Niet dat ze ooit voor een domme Amerikaan zouden vallen, dacht Gerard.

Puck had niet door dat Gerard ervandoor was. Hij zat met zijn hoofd nog steeds bij het Basketbal-Cheerios feest en dat knappe Rielle-meisje, en als hij eenmaal over een meisje nadacht, moest hij gewoon met haar naar bed, of... Puck wist eigenlijk niet wat er zou gebeuren als hij niet met haar naar bed kon – dat was nog nooit gebeurd. 'Hé man, het is vet oneerlijk dat je met me mee moet naar die saaie biologieles. Zullen we spijbelen?'

Hij draaide zich om naar Gerard, maar in plaats daarvan stond er een opgewekt maar sociaal onwenselijk freshman meisje in een rood wollen jurkje. Ze keek hem hoopvol aan. Ietsje verderop in de gang zag hij Gerard de andere jongens een boks geven en keihard lachen om iets. Wat was dit nou... Puck werd niet gedumpt. Ook niet door een jongen.

Puck schudde zijn hoofd naar het meisje. 'Sorry, zelfs niet als ik dronken ben.' Hij rook stiekem aan zijn oksels terwijl hij naar de deur van het biologielokaal liep. Nee, hij rook nog best fris. Misschien was het te sterk voor die Franse gasten. Het viel hem op dat die Gerard een beetje rijp rook, alsof hij net een paar kilometer had hardgelopen.

Voordat Puck door de deur van het biologielokaal kon gaan, zag hij Rielle zijn kant op komen. Artie was nergens te bekennen. Hij was natuurlijk met de gehandicaptenlift gegaan. Ze zag er écht uit als Tinkerbell, met dat lichtbruine elfenhaar en die grote ogen. Ze droeg een kort zwart jurkje met pofmouwtjes en een knalroze maillot, waardoor ze net een rockelfje leek. Puck had het met heel veel verschillende meisjes gedaan, maar een rockelfje was nieuw voor hem.

Hij leunde tegen de muur, in zijn klassieke stoere houding, en knikte naar haar met een halve glimlach. Daarvan raakten ze meestal helemaal in de war.

Maar Rielle... liep door.

Puck ging rechtop staan voordat iemand anders langskwam en zag dat hij een blauwtje had gelopen. Ze had hem niet eens gezien? Om het nog erger te maken kwam Kurt – die serieus zijn azuurblauwe baret droeg, gewoon in het openbaar – zijn kant op met niet één, niet twee, maar dríé Franse meisjes die aan zijn lippen hingen. Ze waren niet de meest sexy meisjes ter wereld, maar ze waren niet slecht.

'Je ziet er zo leuk uit met die baret op,' zei een van de meisjes bewonderend.

'Ik wist niet dat Amerikaanse jongens zoveel stijl konden hebben,' zei een ander meisje.

Kurt trok de baret omlaag over zijn voorhoofd zodat hij schuin zat. 'Dames, het geheim van elke goede outfit is zelfvertrouwen en smaakvolle accessoires.'

Godver, wat was er aan de hand met die Fransen? vroeg Puck zich af. Ze waren allemaal even raar. Welk meisje kon Puck nou weerstaan? Kon je zijn aantrekkingskracht niet vertalen of zo? Puck kon het dus mooi shaken, als ze jongens zoals Kurt leuker vonden.

Puck herstelde zich snel en gaf een *sophomore* een dodelijke blik, die bevend zijn boeken liet vallen. De overwinning smaakte niet echt zoet. Het was duidelijk dat hij iets beter zijn best moest doen, al was het maar om zijn eer en zijn reputatie als vrouwenverslinder op McKinley High te herstellen. Het zou over zijn voor Puck als ze erachter kwamen dat een lekker wijf – Frans of niet – niet betoverd was door zijn charme. Er moest een manier zijn om haar te veroveren.

McKinley High-kantine, woensdag, lunchpauze

Na het enorme fiasco van de Mexicaanse fiëstalunch van dinsdag had het schoolbestuur besloten om op woensdag een keuken te eren die kenmerkend was voor de dagelijkse kost in de kantine van McKinley High: Italiaans eten. In plaats van het eten te laten verzorgen door een Italiaans restaurant uit de buurt had de kantine vertrouwd op een paar gouden ouden van eigen makelij: vette kaaspizza, die ze elke woensdag al kregen aangeboden, overgare spaghetti met zoutloze gehaktballen, en een onherkenbaar gerecht dat aubergine met Parmezaanse kaas kon zijn, maar ook kip met Parmezaanse kaas. Niemand werd blij van het menu, maar er werd ook niemand ziek van.

Tegen de tijd dat de lunchpauze aanbrak was het inmiddels duidelijk dat de meesten van de McKinley Glee-mentoren hun taak als gastheer tot nu toe redelijk goed hadden volbracht. Hun partners hadden de hele ochtend een rondleiding door school gekregen. De tafel van de Glee-kids zat vol Franse leerlingen die grapjes maakten over het slechte eten en lol trapten met hun Amerikaanse partner. Ze hadden allemaal zelfvertrouwen – zelfs de Fransen met een doorsnee-uiterlijk – en dat gaf hun een zekere charme en allure. De meeste leerlingen in Lima hadden nog nooit iemand uit Frankrijk ontmoet en ze keken bewonderend toe. Af en toe kwam iemand naar de tafel met het verzoek om te worden voorgesteld aan een van de Franse partners van de Glee-kids. Het leek ineens alsof de Glee-kids populair waren, ook al was dat maar tijdelijk.

Leuker nog: de Franse leerlingen waren interessant. Artie zat midden in een doortastende analyse van de *Cinema Français* met Rielle. Angelique, een rondborstig en roodharig meisje met een zwart brilmontuur, tekende een Asterix-cartoon op Tina's tekenblok. Kurt zat met een groep Franse meisjes te bladeren in de Franse *Vogue* die een van hen had meegenomen. Een van de meisjes was zijn partner, de anderen waren als vanzelf naar hem toe gekomen nadat hun eigen Amerikaanse mentor het die ochtend had laten afweten op de afgesproken ontmoetingsplek bij de lockers. De Cheerios waren natuurlijk weer te laat op komen dagen.

'Eten jullie elke dag dit soort eten?' vroeg Marc, Mercedes' partner, terwijl hij zijn vork in een droge gehaktbal prikte. Hij trok een raar gezicht. 'Ja?'

'Meestal is het erger.' Mercedes giechelde. Ze vond haar partner leuk. Marc was lollig en vrolijk, net als zij. Terwijl ze die ochtend door de gangen liepen, was Mercedes het nieuwe Usher-nummer gaan neuriën. Voordat ze het wist begon Marc mee te beatboxen en gaven ze een spontaan concert in de gang. Iedereen keek naar hen en klapte mee op de maat. Mercedes was er niet aan gewend om op een positieve manier aangestaard te worden.

Het enige probleem was dat Marc totaal geen gevoel voor stijl leek te hebben. Hij had een vreselijke kleur blauwe jeans aan en de pijpen waren zo kort dat je zijn witte sokken eronder kon zien, die in bruine instappers staken met van die klosjes eraan. Hij droeg een overhemd met korte mouwen in een oogverblindend lelijk oranje-zwart blokkenpatroon. Zonde, want onder die vreselijke kleren zat een aardig schatje met veel talent. Een beetje serieus modeadvies zou wonderen doen en een lekker ding van hem maken.

Gelukkig was stijl een van haar specialismen, dacht Mercedes. Ze was trots op haar hele garderobe, die nauwkeurig was samengesteld om haar sterke punten naar voren te laten komen, of haar zwakke punten te verbergen. Ze rockte in haar *off-the-shoulder* paarse trui, brede zilveren riem en suède slobberlaarzen. Ze had Marc al gevraagd – zonder uit te leggen waarom ze dat wilde weten – of hij die middag mee wilde naar het winkelcentrum. Hij had dringend een make-over nodig, en niet alleen om niet op McKinley High op te vallen. Dat kon Mercedes niet schelen. Zoals Kurt het zei: elk moment was een modemoment. Het was gewoon doodzonde dat Marc al die momenten verspilde.

'Interessant.' Marc nam voorzichtig een hapje van de gehaktbal en legde zijn vork weer neer. 'Is het... paardenvlees?'

Iedereen lachte. 'Een specialiteit van de Amerikaanse Kantine Cultuur,' zei Artie, en hij schoof zijn bril omhoog. 'Op McKinley High krijg je het beste van het beste.'

'Weet je welk deel van Amerika ik echt leuk vind?' zei Nicholas, Quinns partner, en hij nam een grote hap knoflookbrood. Hij vond zijn partner waanzinnig mooi, maar ze deed heel kil en hij had niet het idee dat zij hem erg leuk vond. 'Californië. Hoe ver is dat hiervandaan?'

'Ver. Er zijn hier geen *California girls*.' Mercedes schudde haar hoofd. Haar lange stras oorbellen in de vorm van muzieknoten glinsterden in het licht.

'Ken je dat beroemde oude Amerikaanse nummer, "California Girls"?' vroeg Marc. Hij deed zijn hand voor zijn mond en begon te beatboxen. Zijn andere hand danste mee op het ritme.

Al snel kwam er een klein groepje mensen kijken. Mercedes' innerlijke diva reageerde op de aandacht als een bloem op de zon, en ze begon te zingen, luid en duidelijk. Aimee, Sophie en Claire sprongen van hun stoel, vormden spontaan een achtergrondkoor en verzonnen een leuk dansje. Hun kleine hoekje achter in de kantine – meestal genegeerd door de meerderheid van de school – was ineens het middelpunt van de belangstelling.

Achter in de rij voor het warme eten bleven meneer Schuester en monsieur Renaud even staan. Will nam elke dag boterhammen mee van huis die hij opat in de docentenkamer, maar Philippe wilde de 'hele leerlingervaring' meemaken en ook in de kantine eten. In zijn handen had hij een blad onbestemd Italiaans eten. Zijn gezicht, dat grauw geworden was op het moment dat de kantinemedewerkster het eten met een reuzensoeplepel op zijn bord kwakte, klaarde op bij het beeld van de jammende leerlingen. 'Will, dit is prachtig.'

'Je kunt zien dat ons plannetje werkt.' Meneer Schuester grijnsde breeduit zodat de kuiltjes in zijn wangen goed te zien waren. 'Ze zingen zelfs buiten de les.' Hij dacht terug aan de goede oude tijd toen hij op school zat en Philippe bij hem te gast was. In die tijd was het nog stoer als je a capella kon zingen, als hij door de school liep en Philippe tegenkwam, zongen ze naar elkaar. Philippe hoorde er toen meteen helemaal bij met zijn lage bariton en snelle grappen.

'Niet slecht, *mon ami*.' Philippe was nu wel gewend aan de verliefde blikken van giechelende Amerikaanse meisjes om hem heen. Hij had niet eens door dat het meisje in dat maffe cheerleadingpakje langsliep en een dichtgevouwen servet waar een hartje op getekend stond, op zijn dienblad liet vallen.

Voordat meneer Schuester door kon gaan met zichzelf roemen om zijn briljante plannetjes, zag hij Brittany en Santana met wat Cheerios en basketbalspelers aan hun gebruikelijke tafel bij het raam zitten. Hun Franse partners waren in geen velden of wegen te bekennen. 'Wacht even,' zei meneer Schuester tegen Philippe. Hij was eigenlijk niet verbaasd dat ze hem weer eens teleurstelden, ook al had hij deze keer verwacht dat ze beter hun best zouden doen. Geen idee waarom, maar hij gunde ze elke keer weer het voordeel van de twijfel. Misschien was het omdat ze al twee jaar leden onder het geestdodende beleid van Sue Sylvester en toe waren aan wat toegeeflijkheid.

Hij liep op de meisjes af, die zich duidelijk schaamden. Niet omdat ze betrapt waren zonder hun Franse partner, maar omdat je natuurlijk niet betrapt wilde worden op een gesprek met een docent in de kantine. Gelukkig was iedereen afgeleid omdat het kabaal bij de Glee-tafel ophield. 'Wat is er aan de hand, jongens?' Hij stak zijn handen vragend omhoog. 'Waar zijn Aimee en Sophie?'

Santana zuchtte diep, alsof de aanwezigheid van meneer Schuester te veel voor haar was. Ze had een broodje met sla in haar hand – althans, daar leek het op – en zwaaide ermee naar de andere Glee-kids. 'Ze zijn daar.'

Meneer Schuester zette zijn dienblad op de rand van de tafel en de melk klotste rond in het glas. Hij voelde zich enorm dom met dat dienblad in zijn handen – hij had gewoon zijn eigen eten moeten meenemen, net als altijd. 'Maar jullie zijn hun gastvrouw, dat is jullie taak!'

Santana haalde haar schouders op en nam een hap van haar broodje. 'Daar hadden we niet echt zin in, dus we hebben ze aan Kurt gegeven. Ze vinden hem toch leuker, volgens mij.' Meneer Schuester keek naar Kurts tafel. Aimee zat aan de ene kant van Kurt, Sophie aan de andere. Ze hingen aan zijn lippen. Een ander meisje, Claire, aaide over de revers van zijn blazer. Ze zagen er allesbehalve verveeld, verdwaald, of in de steek gelaten uit.

Brittany keek meneer Schuester aan met haar grote lege blauwe ogen. 'Ze praten ook potjeslatijn, en dat is verwarrend.'

Meneer Schuester schudde zijn hoofd. 'Brittany, ze spreken Frans...' begon hij, maar Brittany en Santana waren alweer in gesprek met elkaar, over schoenen. Hij keek naar hun verlaten Franse partners. Iedereen aan de Glee-tafel zat te lachen en te stralen alsof ze elkaar al jaren kenden. Misschien was het helemaal zo slecht nog niet dat de Franse meiden niet bij de Cheerios zaten.

Ondertussen bladerde Kurt ontspannen door de *Vogue*. Zijn vingers sloegen vliegensvlug de ene bladzijde met een parfumreclame na de andere om. Je kon zien dat hij veel ervaring had. De Franse meisjes keken toe en lagen helemaal slap als hij een bitse opmerking maakte over een modefoto of een compliment gaf aan een mooie look. Hij genoot van het feit dat hij mensen om zich heen had die mode konden waarderen. Misschien was hij half Frans.

'Wat vind je van de nieuwe look van Versace?' vroeg Aimee, en ze knipperde met haar volle zwarte wimpers naar Kurt. Ze was een klein, rondborstig meisje in een kakikleurige, getailleerde T-shirt-jurk met een brede rode leren ceintuur om haar slanke taille, en rode hoge hakken aan haar slanke voeten. Als Kurt een vrouw was geweest, dan zou hij de hele dag hakken dragen.

'Prima, wel een beetje braaf.' Kurt trok zijn zwarte vlinderdas recht. Het was een van zijn favoriete kledingstukken. Als hij hem omdeed zag hij er altijd dapper uit. Hij wist bovendien dat de vlinderdas mooi stond op zijn geruite buttondown overhemd en grijze flanellen bandplooibroek. 'Niet zoals de lentecollectie van Jean Paul Gaultier.'

De drie meisjes hielden allemaal hun adem in. 'Precies!' zei Claire. Ze was een doorsneemeisje dat er desondanks als een diva uitzag in haar skinny broek, torenhoge sleehakken en met de hand beschilderde zijden tuniek. Niet iedereen was gezegend met een mooi uiterlijk, maar dat hoefde niet te betekenen dat je geen gevoel voor stijl kon hebben.

'Ik heb de lentecollectie nog niet gezien.' Sophie keek teleurgesteld. Ze had een glanzende, gebruinde huid en ze droeg een mosterdgele jurk met een col. Ze boog naar voren op haar ellebogen en keek Kurt aan met een verleidelijke glimlach. 'Ik wil er alles over weten.'

Kurts blauwe ogen schitterden lichtjes van opwinding. Het wás gewoon alsof hij in de hemel was. 'Nou, het is dressuurchic gekruist met straatpunk. Waanzinnig, maar je kunt het dragen.' Hij begon te praten over de gekreukte kaki paardrijbroeken en met knoppen versierde leren riemen en ging zo op in zijn verhaal dat hij niet doorhad waarom de meisjes hem zo dromerig aankeken. Hij dacht dat ze gewoon net zo betoverd waren door de collectie als hij.

Sophie porde Claire in haar zij. '*Il est parfait*,' fluisterde ze. 'De perfecte jongen.' Hij zag er leuk uit. Hij was verstandig en grappig. Hij wist meer over mode dan zij, en hij zag er ontzettend verzorgd uit. De meisjes hadden geen enkele andere Amerikaanse jongen gezien met zulke schone nagels, en zijn haar zat altijd perfect in model.

De betekenis van zijn uiterlijk had duidelijk een andere betekenis dan in Amerika. Kwam vast door de vertaling.

Gymzaal van McKinley High, woensdagmiddag

Die woensdag stroomde de gymzaal direct na het laatste uur vol leerlingen die popelden om de verveling van een lange schooldag uit hun lijf te sporten. In de herfstmaanden en in de lente konden ze buiten oefenen, maar in de koude maanden – die typisch waren voor de winter in Ohio – was de Albert Radsley Memorial-gymzaal het middelpunt van alle sportactiviteiten. Aan de ene kant van de gymzaal waren de kleedkamers, die ook naar het zwembad leidden. De geur van chloor en het geluid van spetterend water dat werd veroorzaakt door het zwemteam van de school, mengden zich in de zaal met de geur van zweet en het gepiep van gymschoenen op de glanzende parketvloer. De meisjes- en jongensbasketbalteams trainden om de beurt en nu stonden de jongens op het grote basketbalveld terwijl de groep langbenige meisjes op de tribune huiswerk maakte in afwachting van hun beurt om te trainen. De Cheerios oefenden op het tweede basketbalveld, waar geen tribune stond. Coach Sylvester stond aan de kant met een fluitje in haar mond. Ondanks de hitte in de gymzaal droeg ze zoals altijd haar bekende polyester trainingspak. En zoals altijd ging ze luid schreeuwend tekeer. 'Vinden jullie dit zwaar? Geef jezelf maar eens een klysma. Dat is pas zwaar!' De verwarmingen stonden te loeien.

'Dit is de gymzaal van onze school,' vertelde Rachel aan Jean-Paul. Ze had geen idee meer wat ze met hem aan moest. Hij had totaal geen belangstelling getoond tijdens haar Rachel Berry-hoogtepuntentournee en ze was het zat om reisleidster te spelen. Ze had hem alle plekken in de school getoond waar de belangrijkste momenten in haar ontwikkeling zich hadden afgespeeld: het absentiehok, waar ze over de intercom gezongen had en waardoor Kurt haar bij Glee had gevraagd; het danslokaal waar mevrouw Kathy, de danslerares, Rachels plié de meest bijzondere knieval genoemd had die ze ooit gezien had; de plek waar ze op het podium stond toen Finn naar haar had gekeken terwijl ze 'Tonight' zong uit *West Side Story*. Jean-Paul had geen belangstelling voor Rachels levensverhaal maar zijn ogen hadden even opgelicht toen ze het over Finn had.

Rachel had toen het idee geopperd om naar de basketbaltraining te kijken en Jean-Paul had meteen ja gezegd. Ze had hem die ochtend met Celeste horen praten buiten het muzieklokaal (als je de taal niet kon verstaan was het niet echt afluisteren, toch?). Maar Rachel had hem 'Finn' en 'football' horen zeggen. En Jean-Paul keek ook de hele tijd naar Finn. Celeste had trouwens niet veel zin gehad om met Jean-Paul te praten. Dat was vast omdat hij zo chagrijnig en afwezig was. Hij was een soort jonge Franse Johnny Depp. Het verbaasde haar dan ook dat hij in sport geïnteresseerd was, waarom zou hij anders Finn zo boeiend vinden? Misschien was het gewoon een jongen die alleen maar op zijn gemak was bij jongens, die zweterige, mannelijke dingen deden en elkaar op de rug sloegen.

Jean-Pauls lange benen liepen vlug de tribune op en Rachel haastte zich achter hem aan. Ze hield haar korte gebreide jurkje goed vast tegen haar bovenbenen. 'Is dat het basketbalteam?' vroeg Jean-Paul. Open deur, dacht Rachel.

Rachel keek naar het veld en wuifde zichzelf wat koelte toe met haar Engelse boek. Het boek had tientallen post-its tussen de bladzijden. (Het was nooit te vroeg om een onderwerp voor je opstel uit te zoeken.) 'Inderdaad. Ze zijn erg goed. Ze zijn al twee jaar de beste in hun klassement.'

'Wie is de beste speler?' Jean-Paul keek naar de spandoeken die aan het plafond hingen. Op de meeste spandoeken stond reclame voor de onoverwinnelijke Cheerios, die al jaren de nationale kampioenschappen wonnen. Hij leek niet erg onder de indruk.

'Finn,' zei ze snel. Hij was ook de beste speler, ze was heus niet bevooroordeeld. Toen Finn – eventjes – haar vriendje was, had Rachel veel zin gehad om de wedstrijden bij te wonen en alles te leren wat er maar te leren viel over basketbal, zodat ze hem goed kon steunen. Maar haar basketbalonderwijs was abrupt stopgezet toen Finn het met haar had uitgemaakt. Nu ze op de tribune zat dacht ze terug aan al die posters die ze gemaakt had met Finns naam in glitters, en aan hoe sterk hij eruit had gezien toen hij over het veld rende, de langste jongen van allemaal. Misschien was er eindelijk iemand blij met haar steun nu ze Jesse leuk vond. Maar toch werd ze niet zo warm van het idee dat ze een T-shirt droeg met JESSES MEISJE erop als toen ze het T-shirt met TEAM FINN had gedragen. Ze zuchtte diep en probeerde het verdrietige gevoel in haar buik te negeren.

Finn stond aan de rand van het veld te praten met Celeste, zijn Franse partner. Hij droeg een grijs T-shirt en shorts met lange pijpen. Hij liet de bal op de grond stuiteren en deed dat schattige ding dat basketbalspelers altijd doen, waarbij ze de bal tussen hun benen door laten stuiteren. Rachel knipperde met haar ogen. Het was nog steeds moeilijk om hem samen met andere meisjes te zien, ook al was het nog zo onschuldig. 'Dat heet dribbelen,' riep Rachel, om maar wat te zeggen. 'Eigenlijk is het gewoon stuiteren.'

'Dribbelen,' herhaalde Jean-Paul en hij boog zich naar voren om het beter te kunnen zien. Hij speelde met zijn zilverkleurige iPhone. Hij had sterke handen, hij speelde vast piano, dacht Rachel. Ze kon het helemaal voor zich zien, hoe hij broeierig boven het toetsenbord hing en somber op de toetsen hamerde. Hij droeg zijn donkere haar weer in een staartje, wat niet haar smaak was, maar ze had de hele dag al gezien hoe meisjes naar hem omkeken als hij langsliep.

Rachel fronste haar wenkbrauwen terwijl ze naar het basketbalveld keek. Het was leuk dat Celeste geïnteresseerd was in het dagelijkse leven van haar Amerikaanse mentor, maar moest ze nou ook al naast hem staan als hij trainde?

Het was volstrekt onnodig. Natuurlijk vonden de andere jongens het prima. Ze zag hoe ze belachelijk veel ballen van grote afstand in het net probeerden te gooien in de hoop dat het mooie Franse meisje naar hen zou kijken.

Gewoon negeren, dacht Rachel. Ze moest er echt op letten dat ze beter haar best deed als mentor. Dit was pas de eerste keer dat Jean-Paul het die dag ook maar een beetje naar zijn zin had. 'Hebben jullie in Frankrijk ook basketbal?' vroeg ze beleefd.

Jean-Paul bleef naar het veld kijken. 'Ja, we hebben basketbal.' Finn deed nu push-ups en zijn haar stak in pieken omhoog van het zweet. Celeste, die niet in sporttenue rondliep maar nog steeds dezelfde donkere jeans en het donkere topje droeg die ze op school aanhad, leunde tegen de blauwe matten die aan de muur hingen en keek bewonderend toe. Ze droeg zwarte hoge pumps die niet echt geschikt waren voor school, vond Rachel.

'Speel jij ook basketbal?' zette Rachel door. Jean-Paul had die dag nauwelijks een woord met haar gewisseld, behalve die ochtend toen hij 'Ik kan de Amerikaanse obsessie met televisie niet begrijpen' tegen haar snibde als reactie op haar vraag of er een Franse versie van *American Idol* was. Maar misschien was hij gewoon niet zo'n prater.

Onder een van de baskets begon iemand te joelen. Het kleine, gespierde Franse mannetje – Pucks partner, besefte Rachel – deed een push-upwedstrijd met een van de oudere basketbalspelers. Ze lagen allebei op de grond en pompten driftig op en neer terwijl de andere jongens eromheen gingen staan en in hun handen klapten en hen aanspoorden. Het zag ernaar uit dat Gerard aan het winnen was, ondanks het feit dat hij zijn gewone kleren droeg en de andere jongen zijn sportkleren aanhad. Puck oefende lay-ups onder het andere net en keek achterom naar zijn Franse partner.

'Ik speel voetbal,' zei Jean-Paul ineens. 'Maar geen football.'

Oké, dan. Rachel trommelde met haar vingers op haar

knieën. Alles wat Jean-Paul zei klonk chagrijnig en hatelijk. Het was alsof hij om de een of andere reden een hekel aan haar had. En hij kende haar niet eens! Hij zou er best leuk uit kunnen zien als hij zijn haar afknipte en wat leuker ging doen.

'Ik heb een jaar op voetbal gezeten. In groep drie. Mijn papa's – ik heb er twee – dachten dat het goed zou zijn voor mijn winnaarsmentaliteit op dansles.' Rachel kon zich niet voorstellen dat er ouders waren die hun kinderen meer steunden dan haar papa's, ook al was het voetbalexperiment slecht afgelopen. 'Maar ik kreeg een voetbal op mijn nek, mijn keel had beschadigd kunnen raken en dan was mijn zang-carrière voorgoed afgelopen.'

Jean-Paul keek Rachel aan met zijn blauwgrijze ogen. Hij zei niks.

Oké, tot zover de poging om aansluiting te vinden via voetbal. Rachel keek naar Finn. Ze had echt nooit moeite gehad om gespreksstof te vinden met Finn. Alles ging zo vanzelf bij hem.

Maar ze was niet zo blij met wat ze zag. Finn lag op zijn zij en deed alsof hij uitgeput was. Celeste deed giechelend alsof ze hem in zijn buik schopte met haar hoge hakken en even later lag ze ook op de grond om een push-up te doen. Finn gaf advies en boog zich voorover tot hij vlak bij haar gezicht was terwijl ze op haar armen en de neus van haar pumps balanceerde, voordat ze instortte. Finn stak lachend zijn hand uit en trok haar omhoog.

Ook Quinn had het gezien. Ze zat achter in de gymzaal boven op de tribune. Ze had gepland om even te slapen terwijl Finn hun twee buitenlandse vriendjes vermaakte tijdens de training. Ze was bekaf. Maar door de harde bank, het ge-piep van gymschoenen op de houten vloer en de overbekende tirades van Coach Sylvester als de benen van haar cheerleaders per ongeluk gingen trillen, lukte het haar niet om in slaap te vallen. Dus deed ze alsof ze Spaans huiswerk deed, zodat ze niet met Nicholas hoefde te praten die een bank lager zat. Maar dat was voordat ze de flirtshow tussen Finn en Celeste zag op het veld.

Quinn wist altijd wat Finn deed als ze samen in een ruimte waren, wat ze ook deed of met wie ze ook was. Meestal deed hij niet zoveel – hij was best saai – maar ze werd er gek van dat Finn meer lol met een ander meisje kon hebben dan hij ooit met haar had gehad. Daarom wilde ze hem uit de buurt van Rachel houden. Hij had een diepere band met Rachel dan Quinn ooit met hem had gehad, en daar werd ze pissig van.

Maar nu vormde die krullerige blonde Franse sloerie een veel ernstiger bedreiging. Rachel mocht nu niet met Finn praten, en Quinn hoopte dat ze Rachel bij Finn weg kon houden tot ze eindexamen hadden gedaan. Dan was dat probleem ook afgehandeld.

Celeste was een ander verhaal. Ze was mooier dan Rachel en ze zag er niet uit als een kleuter in kleren van het Leger des Heils. Quinn kneep haar ogen tot spleetjes terwijl ze zag hoe Celeste de basketbal onhandig stuiterde en Finn verdedigingsbewegingen maakte alsof ze een gevaarlijke aanvaller was. Ze lachten als twee gekken. Vlakbij stond Santana boven op de piramide; Quinns oude plek. Ze maakte een halve draai terwijl ze naar beneden sprong en perfect nadeed hoe je een basketbal vangt, en Quinns maag draaide zich half om toen ze Celeste en Santana zag als vervangers van haar eerste positie als hoofdflirt en hoofdcheerleader.

'Santana.' Coach Sylvester blies op haar fluit. 'Die blik in je ogen doet me denken aan de jonge Sue Sylvester, toen ik meedeed aan de Winterspelen in Calgary op de grote slalom, ondanks de hepatitis die door mijn bloed gierde. Maar denk niet dat je alles kunt maken bij me. Alleen Sue Sylvester kan indruk maken op Sue Sylvester.'

Rachel en Jean-Paul zaten ongemakkelijk naast elkaar op de tribune. Jean-Paul leek verveeld. Rachel kookte. Dit was dus helemaal niks. Ze was erg enthousiast en had een zeer opgewekte persoonlijkheid. Dan verdiende ze ook de beste

Franse partner en niet de slechtste. Een reactie uit Jean-Paul krijgen was zoiets als een kies trekken, hij had duidelijk geen enkele waardering voor haar persoonlijkheid. Terwijl zij zoveel te bieden had! Ze pikte het gewoon niet langer, ze zou dit met meneer Schuester bespreken voor de Glee-repetitie begon.

Jean-Paul ging plotseling staan en sloeg zijn armen over elkaar. 'Kunnen we nu gaan?' vroeg hij boos, en hij stopte zijn telefoon in zijn broekzak.

Rachel knipperde met haar ogen. Was hij niet alleen onbeleefd en chagrijnig, maar ook nog gek? Ze stond op. 'Natuurlijk.' Ze liep langzaam achter hem aan de trap af en lette er goed op dat ze met haar platte schoentjes niet uitgleed op het gladde hout.

Terwijl ze de tribune af liepen keek ze naar Finn. Hij demonstreerde voor Celeste hoe je de bal gooide. Finn had haar een keer mee uit bowlen genomen en hij was een geweldige leraar geweest. Hij had haar laten zien hoe je de bal vasthield en hoe je op tijd bij de pijlen moest blijven zodat je ook echt een paar kegels raakte.

Maar dat was verleden tijd, dacht Rachel. Hij was niet meer met haar bezig. Hij leerde nu iemand anders sporten en Rachel kon daar helemaal niets aan doen. Alle jongens stonden stil en keken belangstellend toe hoe Finn naast Celeste stond en haar armen aanraakte terwijl hij haar liet zien hoe je de bal met een boog door de lucht gooide. Gadver.

Misschien was de gymzaal toch niet zo'n goed idee geweest. Rachel liep achter haar Franse partner aan naar de deur en was bijna net zo chagrijnig als Jean-Paul zich gedroeg.

Misschien was Multiculturele Week al dat gedoe niet waard.

12

Tekenlokaal en gang, woensdag na schooltijd

Het tekenlokaal van McKinley High was op de eerste ver-
dieping van het oude schoolgebouw. Het was de afgelopen
jaren dan wel niet gerenoveerd – zoals regelmatig gebeurde
met de fitnessruimte en de gymzaal, de lievelingslokalen
van Sue Sylvester – maar het had zeker charme. Het lokaal
had heel grote ramen en op de grond lag hetzelfde glanzende parket als in de gymzaal. Alleen hier zaten er overal
verfspatten op. Het werk van leerlingen, dat varieerde in
kwaliteit, hing aan de muren. En aan een muur waren metalen planken bevestigd waarop de leerlingen hun spullen
bewaarden, en het werk lag dat nog niet af was. In een hoek
stond een gigantische oven en om die oven stonden trieste
kleiprojecten opgestapeld. Veel objecten hadden barsten of
waren misvormd. Een paar leerlingen zaten verspreid door
het lokaal en legden de laatste hand aan hun schilderij of
tekening voor de Multiculturele Show. Het was een van de
weinige lokalen in de school waar de verwarming het niet
deed, dus was het er net zo koud als een koelcel in de winter.
Mevrouw Kowalski, de tekendocent, was in de overgang en
hield vol dat je creatiever werd van de kou, terwijl iedereen
heus wel wist dat ze gewoon blij was dat ze dan geen last van
opvliegers had.

De houten tafelbladen konden rechtop gezet worden om er
schildersezels van te maken. Tina en Angelique, haar Franse
partner, zaten naast elkaar in hun winterjas. Tina had haar
tafelblad rechtop gezet en werkte aan een hyperrealistisch
werk in olieverf van een Chinese lotusbloesem, terwijl Angelique in Tina's schetsboek tekende met kleurpotloden.

'Dat is erg goed, zeg.' Tina keek naar de tekening die An-

gelique gemaakt had. Het was een schets van een boeren-
markt, ergens in een stad. De kraampjes met felgekleurd fruit
en groenten stonden voor oude stenen gebouwen. 'Teken je
iets wat je echt hebt gezien?'

Angelique glimlachte flauwtjes en veegde een bruine lok
uit haar gezicht. 'Ja. Er is een markt vlakbij, thuis. In Lyon.'
Waarschijnlijk hadden meneer Schuester en monsieur Renaud
bedacht dat het een goed idee was om de twee meest verlegen
leerlingen aan elkaar te koppelen, maar in de praktijk werkte
het niet zo goed. Tina had Angelique de hele dag op sleeptouw genomen maar Angelique sprak niet zo goed Engels en
omdat Tina niet zo'n kletskous was, waren er die dag een
hoop stiltes gevallen. Tina wilde dat ze een leukere gastvrouw was; ze was eerder die dag langs Rachel gelopen, die
een soort reisleidster aan de speed was en elk detail over
McKinley High, de leerlingen en Amerika zo kon oplepelen.
En ook al leek de lange chagrijnige jongen niet erg geïnteresseerd, toch wilde Tina dat ze een kleine dosis van Rachels
zelfvertrouwen kon krijgen.

Maar ze had haar partner niet in de steek gelaten zoals
sommige mensen. De Cheerios hadden het hele partnerproject
laten vallen. En Tina had Pucks kleine, vierkante partner in
de kantine gezien, Puck-loos, met een groep neanderthalers,
basketbalspelers die keken wie er de meeste rode slushies achter elkaar konden drinken voordat hun hersenen bevroren.

'Ik durf te wedden dat mevrouw Kowalski het zaterdag wil
tentoonstellen op de Multiculturele Show,' zei Tina. Vrijdag-
middag gingen de leerlingen die tekenen in hun pakket hadden hun werk ophangen in de gangen van McKinley zodat
hun ouders en deelnemende scholen er zaterdag naar konden
kijken. Angeliques schets was een stuk mooier dan veel van de
tekeningen die dan aan de muur kwamen. De afdeling kunst
van McKinley High had net zo weinig geld als de muziekafdeling.

Angeliques gezicht werd vuurrood. Ze was mooi, maar op
een onopvallende manier, zodat ze nooit de aandacht zou

trekken van iemand als Puck. Ze droeg een bruine sjaal om haar nek en ze had melkboerenhondenhaar. '*C'est possible*,' zei ze langzaam, en ze legde haar potloden neer zodat ze haar dooie vingers warm kon wrijven.

Tina zuchtte en keek weer naar haar schilderij. Ze droeg katoenen handschoenen waar ze de vingertoppen van af had geknipt, die ze speciaal in haar locker bewaarde voor de tekenlessen. Zo kon ze haar penselen en gereedschap goed beetpakken maar had ze niet het gevoel dat haar vingers eraf zouden vriezen. Ze had ze aan Angelique aangeboden maar die wilde ze niet dragen. Ze bakte er niks van als mentor, dat was duidelijk. Maar ze had nu te veel andere dingen aan haar hoofd. Bijvoorbeeld het Glee-nummer voor de Multiculturele Show; ze hadden de Fransen nog niet horen zingen, en straks waren ze beter dan de Amerikanen en liet meneer Schuester Tina niet zingen en zette hij haar achterin met een tamboerijn, als achtergrondvulling.

En dan was er nog de Bond Voor Aziatische Leerlingen. Zij mocht dit jaar het hoofd van de draak zijn in de traditionele Chinese drakendans om het Chinese nieuwe jaar te vieren. Dat was een grote eer en ze moest heel veel oefenen om het goed te kunnen doen. Ze moest in feite de hele processie leiden zodat iedereen haar goed volgde over het podium en door de gangpaden van de aula. Het scheelde wel dat haar hoofd in de drakenkop zat en niemand in het publiek zou kunnen zien dat zij het was: geen reden voor paniek dus. Maar als ze nou struikelde en op haar bek ging, zodat de hele draak om zou vallen? Ze had er nooit mee moeten instemmen.

Tina hoorde een vertrouwd geluid op de gang, het gepiep van Arties rolstoel. Een van de wielen piepte altijd als het buiten koud was. Ze hield even op met schilderen, haar penseel in de lucht, in de hoop dat Artie binnen zou komen. Hij wist dat ze bijna elke middag in het tekenlokaal te vinden was, en Tina glimlachte bij de gedachte dat hij haar zocht.

Maar Tina kreeg Artie maar even te zien. Hij was druk in

gesprek met zijn Franse partner Rielle en bleef niet staan bij het lokaal. Hij keek niet eens naar binnen.

'Artie!' riep Tina. Ze werd gek van de ongemakkelijke stilte in het lokaal. Misschien konden Artie en zijn partner even binnenkomen en met Angelique kletsen.

Even later zag ze dat Artie terug was gereden naar de deur van het lokaal. Zijn mooie partner gluurde nieuwsgierig naar binnen. 'O, hoi, Tina.' Hij zat midden in een gesprek met Rielle – in het Frans – over de invloed van Bob Dylan op Franse folk. Artie vond Rielle een boeiende gesprekspartner. Zijn Frans was verre van perfect, maar het gesprek ging best diep.

'Hoi.' Tina veegde met de rug van haar hand over haar neus. Er zat vast verf op haar gezicht. Waarom had Artie geen zin om met haar te praten? Misschien wilde hij gewoon zo graag een goede mentor zijn dat hij niet afgeleid wilde worden.

Rielle zei iets in het Frans tegen Angelique, en de meisjes en Artie lagen in een deuk. Tina stond daar maar, zonder te weten waarom ze moesten lachen, en ze hoopte dat het niet om haar was.

'Goed, we zien jullie zo bij de repetitie.' Ze werd meestal niet zenuwachtig van Artie, maar er was iets veranderd. Ze wist niet eens dat hij zo goed Frans kon verstaan.

'Zeker weten.' Artie stak zijn hand ongeïnteresseerd op voor een saluut en reed weer verder door de gang, met Rielle naast hem.

Angelique keek Tina nieuwsgierig aan. Ze blies op haar vingers om ze te ontdooien. 'Is Artie je vriendje?'

Tina liet bijna haar penseel vallen maar herstelde zich en legde hem heel voorzichtig neer op het plastic palet naast haar ezel. 'Artie? Nee... we zijn, eh, gewoon vrienden.'

Angelique bestudeerde Tina's gezicht aandachtig. Ze legde haar kleurpotloden neer. 'Dat is interessant.'

Tina bloosde. Aan de andere kant van het lokaal waren twee seniors bezig met een schaalmodel van de Taj Mahal, gemaakt van wc-rollen en gemodelleerde watten. Ze waren bijna klaar. Tina hoopte dat de jongens haar niet konden horen. 'Hoe kom je daar bij?'

Angelique glimlachte. Ze had groene ogen, een mooie kleur groen, bijna dezelfde kobaltkleur die Tina gebruikte voor het lotusblad. 'Geen idee. Door je gezicht?'

Tina trok de zwarte sjaal weer recht waarmee ze haar haar had vastgebonden. Ze kreeg het ineens warm en ritste haar zwarte donsjas open. Tina had nog nooit met haar vrienden over Artie gepraat. Dat kwam omdat Kurt en Mercedes, haar beste vrienden, ook met Artie bevriend waren en ze wilde niet dat het ingewikkeld werd. Misschien was Angelique de perfecte persoon om relatiedingen mee te bespreken, ze kende Artie niet echt en ze ging alweer bijna naar huis. En: ze hadden iets om over te praten.

'We hebben een paar keer een date gehad,' gaf Tina eindelijk toe. Ze keek uit het raam naar twee meisjes die een sneeuwpop maakten op het grasveld voor de school. Ze hadden alle essentiële sneeuwpopattributen: stokken voor de armen, een wortel voor de neus, een pijp voor zijn mond. 'Maar toen... ik weet het niet. Er is nooit meer iets gebeurd.'

Angelique knikte bedachtzaam. Haar bruine krullen waren een beetje pluizig en ze had een loopneus. Misschien kwam dat door alle verfdamp in het lokaal. Toch leek ze ineens heel wijs. 'Vind je hem leuk? Nog steeds?' vroeg ze.

Tina pakte haar penseel. Ze had er nog niet zo zwart-wit over nagedacht. Het was allemaal zo ingewikkeld als ze erover nadacht, maar nu leek het ineens allemaal neer te komen op die ene simpele vraag van Angelique. 'Ja,' antwoordde ze.

Ondertussen waren Artie en Rielle op weg naar het muzieklokaal en had Artie het helemaal niet over Tina. Hij had het veel te leuk met Rielle. Niet alleen omdat ze knap was, en dat was ze, met haar ruige bruine haar en het mooie zwarte jurkje dat ze aanhad, dat een beetje bloot was op haar rug zodat je haar elegante schouderbladen kon zien. Maar ook omdat ze slim en grappig was, zelfs met haar beperkte Engels, en ze vond het enig om hem Frans te horen spreken. Rielle was een talentvolle muzikant die een tiental nummers geschreven had. 'Wil je er een horen?' had ze hem verlegen gevraagd terwijl ze aan haar iPod frunnikte. 'Ik heb een paar... nummers opgenomen. Maar ze zijn nog niet af.'

'Ik wil ze heel graag horen,' zei Artie en hij stond stil. Hij nam Rielles oordopjes aan en deed ze voorzichtig in zijn oren. Het leek ineens een intieme handeling. Rielle draaide met haar duim en klikte uiteindelijk op een nummer. Hij hoorde meteen haar stem en haar akoestische gitaar. Het was mooi, een soort folkrock maar dan stoer.

Hij was Tina helemaal vergeten.

Ze kwamen als eersten samen aan bij het muzieklokaal en hij was blij dat hij nog even alleen met haar kon zijn.

'We zijn te vroeg,' zei Rielle, en ze gleed zachtjes met haar vingers over de pianotoetsen. Ze neuriede een van de nummers die Artie herkende van haar iPod.

'Ik kan gitaar spelen, als je een van je nummers wilt uitproberen.' Artie wist dat gitaarspelers populair waren bij meisjes, maar zijn rolstoel was natuurlijk een vet minpunt dat niet tegen de gitaarpluspunten op kon wegen. Waarom zou hij durven hopen op meer dan vriendschap met Rielle? Hij was net zo dom als Cyrano de Bergerac met zijn grote in de weg zittende neus; in zijn geval was het een grote, onhandige rolstoel. Niet iets waar een plastisch chirurg wat aan kon doen. Ach, hij wist dat het niet alleen om die rolstoel ging. Artie was een goeie gast, en goeie gasten krijgen de meisjes niet. Om de een of andere reden kregen eikels als Puck altijd de meisjes.

Rielles bruine ogen gingen stralen toen hij over de gitaar begon. Ze had heel kleine roze vlinderspeldjes in haar haar. Bij haar stond dat grappig, in plaats van schattig. 'Speel je gitaar? Ja, ik wil graag dat je me...' Ze werd stil.

'Begeleidt?' suggereerde Artie. Hij reed naar een akoestische gitaar in een standaard naast de piano, deed de band om zijn schouder en tokkelde op wat snaren. Door het gevoel van de gitaar in zijn handen werd hij rustig. Hij voelde zich meteen een echte muzikant.

Rielle glimlachte. 'Ja, dat is het woord.' Ze schoof een vlinderspeldje naar achteren. 'Misschien... kun je me helpen om de Engelse woorden te vinden? Voor de... eh...' Ze werd weer stil, op zoek naar het juiste woord. 'De woorden die bij de muziek horen?'

'Tekst.' Artie glimlachte. Haar Engels was te schattig voor woorden... Alles aan haar was schattig. Misschien zou hij haar, in een perfecte wereld, mee uit durven vragen. Maar dikke kans dat dit lekkere, talentvolle Franse meisje niet meer in Artie zag dan een vriend. Het woord 'vriend' stond op zijn voorhoofd getatoeëerd.

Dan moest het maar zo zijn. Hij had *Cyrano* gisteravond uitgelezen en de lelijke maar briljante man had het mooie meisje ook niet gekregen.

'Tekst!' Rielle sloeg met haar hand tegen haar voorhoofd, alsof ze dom was omdat ze het woord niet kende. 'Ga je helpen?'

'Natuurlijk help ik je.' Artie reikte achter zijn rolstoel naar zijn rugzak die daar hing, en trok er zijn schrift uit.

'Je bent geweldig,' zei Rielle en ze keek Artie stralend aan. Het klonk als 'Je bain geweldieg,' alsof ze een Bondmeisje was.

Vrienden, dacht Artie terwijl hij keek naar de manier waarop Rielle de melodie neuriede, haar roze lippen lief getuit. Vrienden had je nooit genoeg.

Kleedkamer, woensdag na de basketbaltraining

Finn was een van de laatste jongens die onder de douche gingen na de basketbaltraining. Hij had zo'n lol met Celeste dat hij de tijd vergat. Pas nadat het halve team ruikend naar shampoo en deodorant de kleedkamer uit kwam besefte hij dat hij moest opschieten en douchen voor de Glee-repetitie. Hij legde Celeste uit hoe je bij het muzieklokaal kwam en zei dat ze alvast moest gaan.

Het was fijn om de kleedkamer bijna helemaal voor hemzelf te hebben zodat hij keihard onder de douche kon zingen zonder dat de andere jongens hun toque naar zijn hoofd gooiden of scheetgeluiden maakten. Terwijl hij zijn favoriete nummer van REO Speedwagon zong en zich inzeepte dacht hij de hele tijd aan Celeste. Ze was echt fantastisch, ze had die *je ne sais quoi*-uitstraling waar Kurt het altijd over had, al wist Finn niet helemaal wat Kurt daarmee bedoelde. En ze leek totaal niet op de verwarrende, neurotische Amerikaanse meisjes. Zoals Quinn en Rachel. Toen Quinn zijn vriendinnetje was vertelde zij hem de hele dag welke kleren hij aan moest en met wie hij moest praten, wat best bijdehand was voor een meisje dat achter zijn rug om vreemdging met zijn beste vriend. En toen Rachel nog niet eens een week zijn vriendinnetje was had ze al een relatiekalender gemaakt zodat ze elke verjaardag van alle eerste keren nooit zouden vergeten: de eerste keer dat hij met haar praatte, de eerste keer dat hij vertelde dat ze een heel mooie stem had, hun eerste kus. En daarna had zíj het met hém uitgemaakt. Idioot, toch? Wedden dat ze na afloop 'eerste keer dat het uitging' op die kalender erbij had geschreven? Rachel was echt dol op details.

Maar hij kreeg een raar gevoel in zijn buik als hij aan Rachel dacht, dus dacht hij weer aan Celeste terwijl het hete water over zijn rug stroomde. Ze had een mooie stem, sexy, hees, en met een sterk Frans accent waardoor hij moest denken aan die seksadvertenties achter in de *Playboys* die altijd in de kleedkamer rondslingerden. En dat haar. Ze was net Goudlokje. Misschien, dacht Finn, heel misschien, was ze in hem geïnteresseerd. Ze raakte telkens zijn arm of rug aan, wat wel een Franse gewoonte zou kunnen zijn, net als op de wang kussen.

Finn had zo lang staan dromen dat hij ineens merkte dat hij de andere jongens niet meer hoorde en hij bedacht dat hij als laatste nog in de kleedkamer was. Hij pakte zijn grote witte handdoek van de haak naast het douchehok, droogde zijn haar af en sloeg de handdoek om zijn middel. Hij liep terug naar zijn locker op zijn slippers, die piepten op de betonnen vloer. Hij moest voortdurend aan Celeste denken, dus hij was nauwelijks verbaasd om een vertrouwde Franse stem achter zich te horen toen hij voor zijn locker stond.

'Mooie handdoek, Finn.'

Finn draaide zich om. Celeste zat op een van de banken midden in de kleedkamer, haar benen elegant over elkaar geslagen, en ze keek Finn aan met een schattige bijdehante grijns. Ze zag eruit als een engeltje in haar ragfijne witte truitje, maar die glimlach was allesbehalve engelachtig.

Finn knipperde met zijn ogen, maar Celeste verdween niet uit de kleedkamer. Ze zat er nog, voor de rode lockers waar de jongens hun toque in bewaarden, terwijl ze daar helemaal niet hoorde.

Het was net alsof hij in de film *Varsity Blues* zat, een van de beste sportfilms aller tijden. Dit gebeurde toch niet echt?

'Staat je goed,' zei Celeste, en ze keek naar zijn buikspieren. Hij was ineens heel blij dat hij elke avond tweehonderd sit-ups deed in zijn slaapkamer. De manier waarop Celestes roze lippen langzaam Engelse woorden vormden, alsof ze nog op beginnersniveau was, was superschattig.

Finns hoofd stond zowat in brand. Hij keek omlaag en trok zijn handdoek strakker om zijn lijf. Hij wenste dat hij kleren droeg, of dat Celeste ergens anders met hem stond te kletsen en niet in deze zweterige en – Finn vond het vreselijk om eraan te denken, met zo'n kwetsbaar meisje voor hem – scheterige kleedkamer.

'W-wat doe je hier? Ik bedoel, hoe kom je hier binnen?' Finn had ineens het gevoel dat hij degene was die geen Engels kon praten. Hij leunde achterover tegen zijn locker en probeerde er ontspannen uit te zien.

Celeste glimlachte en stond op. Het was muisstil in de kleedkamer. Je hoorde alleen haar klikkende hoge hakken terwijl ze op hem af kwam. 'Ik denk dat het een... deur heet.' Ze streelde met haar nagel – lang maar ongelakt – over zijn biceps. Hij kreeg er kippenvel van.

Finn staarde dom naar de arm die Celeste gestreeld had. 'Nee, ik bedoel, wat dóé je...'

Voordat hij de zin kon afmaken boog Celeste naar voren. Ze keek hem recht aan met haar blauwe ogen, en ze keek erg zelfverzekerd. Dat was geil. Alsof ze al de hele dag had gewacht op dit moment, drukte ze haar lippen op zijn mond en zoende hem.

Finn twijfelde een seconde – hij had alleen maar een handdoek om zijn middel, stel dat die afgleed? – voordat hij haar terug zoende. Dit was waanzinnig, precies het soort verhaal dat je altijd kon lezen in de ingezonden brieven in de *Playboy*. Haar mond smaakte zoet en fruitig en deed Finn denken aan de keer dat hij *gelato* had gegeten in de gelateria in het winkelcentrum. Was gelato Frans?

En toen pakte ze zijn hoofd vast en begroef haar handen in zijn natte haar, en hij vergat zenuwachtig te zijn of hoe ranzig het daar stonk. Als ze allemaal waren zoals Celeste, dan konden Franse meisjes geweldig goed zoenen, en misschien waren zíj wel hitsig, en niet Amerikaanse meisjes. Finn had nog nooit zo weinig zijn best hoeven doen.

'O, Finn,' fluisterde Celeste en ze knabbelde aan zijn oorlel.

Olala, dacht Finn alleen maar. Hij deed een stap naar achteren – het ging allemaal zo snel – en hij wilde even stoppen en er meer van genieten. Zoals de zaken er nu voor stonden, moest hij snel focussen op het moment dat hij met zijn moeder in de auto zat nadat hij zijn leerrijbewijs had gekregen en hij de postbode had overreden. De herinnering aan de postbode op de voorruit was het enige wat hielp als Finn niet te snel wilde overkoken. Maar dat was lastig als Celeste hem bleef zoenen. Haar zachte lippen streelden nu langzaam langs zijn hals.

Hij streelde haar rug. Haar trui voelde zacht aan onder zijn vingers. 'Ik vind het waanzinnig dat je me leuk vindt. Ik wist eerst niet of je gewoon aardig deed, of zo. Ik vind jou ook leuk,' bekende hij. Hij vroeg zich af wat een vliegticket naar Frankrijk kostte. Vast meer dan er in zijn Vince Lombardi-spaarvarken zat geprop. Wat maakte het ook uit. Celeste zoende zo gigantisch lekker dat ze het zeker waard was om een keer in Frankrijk te bezoeken.

Celeste hield op met het zoenen van Finns nek en deed een stap naar achteren. Ze had een vreemde uitdrukking in haar ogen. Finn had plotseling spijt dat hij het zoenen onderbroken had. Misschien deden de Fransen dat niet. Hij deed zijn mond open om iets te zeggen.

'O nee,' zei Celeste en ze keek op haar horloge. Haar stem klonk kunstmatig hoog. 'We komen te laat op de repetitie. Je moet je aankleden. Ik zie je zo.'

Ze draaide zich om en liep snel weg. Finn bleef achter in zijn handdoek. Wat krijgen we nou? Hij wreef over zijn gezicht, maar kreeg de grijns niet weg. Hij snapte al niks van Amerikaanse meisjes, dus hoe moest hij Franse meisjes dan snappen? Misschien waren meisjes overal ter wereld even ingewikkeld en mysterieus.

Hij was nog steeds in de war van de onverwachte zoensessie, ook al was Celeste halsoverkop vertrokken. Hij floot terwijl hij zich afdroog en in zijn kleren stapte.

Hij had in zijn hele leven nog nooit zoveel lol in de kleedkamer gehad.

14

Muzieklokaal, woensdagmiddag

Die woensdagmiddag was het druk in het muzieklokaal. Op Finn na was de voltallige McKinley High Glee Club aanwezig, en de Lycée de Lyon-kids. Het partnerexperiment had verschillende resultaten opgeleverd. Quinn en de Cheerios zaten apart van de groep bij elkaar op de plastic stoelen op de bovenste rij van het lokaal. Ze leunden tegen de muur en sms'ten gemene opmerkingen naar elkaar over de stinkende Europese gasten. Aimee, Sophie en Claire zaten om Kurt heen op de eerste rij terwijl hij uitweidde over zijn interieurplan om zijn kamer in te richten in de Franse harem-chic stijl.

'Je weet zoveel over interieurontwerp,' mompelde Aimee. 'Je zou *decorateur d'interieur* kunnen worden.'

'Ik kijk vaak naar woonprogramma's.' Kurt leunde achterover en streek zijn geruite overhemd glad. 'Ik vind dat feng shui niet hoeft te betekenen dat het niet mooi is. Ik hoop ooit mijn eigen televisieprogramma te hebben.'

De meisjes knikten bedachtzaam. Ze kenden niet alle woorden die hij gebruikte maar waardeerden zijn inzicht.

Kurt knikte naar Aimees rode riem. 'Die riem is trouwens geweldig.' Aimee bloosde hevig.

Artie speelde gitaar terwijl Tina, Mercedes, Rielle en Celeste 'Michelle' van de Beatles zongen. Het Franse refrein kon iedereen zingen. Rielle en Celeste leerden de andere meisjes hoe je de Franse woorden uitsprak en Mercedes' partner Marc maakte het nummer iets hipper met wat beatboxgeluiden.

Puck zat in zijn eentje op de drums te rammen zodat zijn biceps zouden opvallen, maar Rielle keek zijn kant niet uit.

Ze had het te druk met haar knusse zangsessie met Artie en de andere nerds. Kunnen Fransen dan geen loser herkennen? Een lekker wijf als Rielle moet met lekkere jongens als ik praten, dacht hij.

Puck had Gerard niet meer gezien nadat die hem had gedumpt voor de andere basketbaljongens, maar hij leek het prima te redden zonder Puck. Gerard bleek ontzettend lenig en was midden in het lokaal met Mike Chang aan het breakdancen. En nog steeds praatte hij over eten. 'Heb jij nog nooit een *croque monsieur* gegeten? Van welke planeet kom jij?' vroeg hij terwijl hij een perfecte *cross-legged flare* maakte.

Rachel zat aan de rand van het lokaal en deed alsof ze huiswerk maakte terwijl alle anderen in het lokaal lol hadden. Alle Franse leerlingen kletsten en lachten behalve de hare. Jean-Paul deed alsof hij belangstelling had voor de bladmuziek op de boekenplanken voor in het lokaal, zodat hij geen minuut meer met haar hoefde te praten. Voelde hij zich bedreigd door vrouwen met talent?

Meneer Schuester en monsieur Renaud leunden tegen de piano en bekeken het tafereel terwijl ze terugdachten aan de leukste momenten uit de tijd die Philippe lang geleden op McKinley High had doorgebracht. Toen waren er nog geen mobiele telefoons, en bestond e-mail nog nauwelijks, maar muziek had toen al het magische vermogen om mensen bij elkaar te brengen.

Eindelijk stommelde Finn het lokaal binnen, zijn basketbalkleren half uit zijn open rugzak hangend. De kraag van zijn gestreepte polo stond recht overeind, alsof hij zich te snel had aangekleed. 'Sorry,' mompelde hij naar meneer Schuester die naar hem keek. 'De training, eh, liep wat uit.'

Hij had een domme grijns op zijn gezicht waar Quinn en Rachel meteen achterdochtig van werden. Waarom keek hij zo blij? Ze keken jaloers en vol belangstelling naar Finn, die op de stoel naast Celeste plofte en zagen, met nog meer belangstelling, dat Celeste nauwelijks glimlachte en zich meteen weer naar Mercedes en de rest omdraaide, die net klaar waren met zingen.

'Hoi,' fluisterde Finn en hij tikte Celeste op haar schouder. Celeste draaide zich om en keek hem even aan. 'Ja?' vroeg ze, alsof hij haar had onderbroken.

'O, sorry.' Maar Finn bleef grijnzen. Tien minuten geleden had ze op zijn oorlel staan zuigen en nu zaten ze naast elkaar in het muzieklokaal. Hij wilde erover praten maar misschien was dit niet het juiste moment. 'Ik wou gewoon…'

Meneer Schuester klapte hard in zijn handen en vroeg om hun aandacht. Finn draaide zich met tegenzin om in zijn stoel. Ze moesten wachten tot na de repetitie om verder te praten, of beter nog, om verder te gaan met zoenen.

'Ik hoop dat iedereen een geweldige dag heeft gehad en dat het leuk was om elkaar te leren kennen. Ik vind het spannend om met de repetities van ons nummer voor de Multiculturele Show te beginnen. Maar eerst: omdat we gisteren mochten optreden voor onze Franse gasten, krijgen zij nu de kans om voor ons op te treden.' Meneer Schuester glimlachte. De kuiltjes in zijn wangen dansten op zijn gezicht. '*Drums, please!*' riep hij naar Puck. 'Lycée de Lyon, laat maar zien wat je in huis hebt!'

De Franse gasten gingen vlug bij de piano staan en fluisterden met elkaar in het Frans terwijl de Glee-kids klapten en joelden. Puck stond op van het drumkrukje en Marc, in zijn afschuwelijke feloranje houthakkersoverhemd, ging op de kruk zitten en draaide de drumstokken als een expert tussen zijn vingers. Celeste deed een stap naar voren en gaf nog snel een paar aanwijzingen, en Rachel slikte. Celeste was hun vocale en spirituele leider, zoals Rachel dat was voor de McKinley High Glee Club. Het was al erg genoeg dat ze de hele dag had doorgebracht met een partner die haar net zo interessant vond als een krop sla, maar het was tien keer erger als nu zou blijken dat Celeste beter kon zingen dan Rachel.

Celeste glimlachte sierlijk naar haar publiek. Rachel perste haar lippen samen en sloeg haar benen over elkaar. 'Dit nummer heet *Ce jeu* en is van de Franse popster Yelle.' Rachel dacht dat ze professionele stemtraining kon horen in Celestes stem. Waarom was haar dat niet eerder opgevallen?

Kurt knikte instemmend. Hij tikte op de vloer met de punt van zijn Bruno Magli-brogues. 'Dat nummer is het helemaal,' fluisterde hij tegen Tina. Hij vond het heerlijk om op zijn satellietradio naar Europop te luisteren en kende alle grote hits. Het was makkelijker om op Europese pop te dansen dan op Amerikaanse pop.

Marc telde in het Frans – '*un, deux, trois, quatre*' – terwijl hij de stokken tegen elkaar tikte, en iedereen begon te zingen. Het was een aanstekelijk nummer met een snelle beat en ook al kon niemand de hele tekst verstaan, het was duidelijk dat het Lycée de Lyon Chorale goed was.

Vooral Celeste. Rachels grootste nachtmerrie werd waarheid zodra Celeste naar voren liep en vol zelfvertrouwen zong. Ze was een goede sopraan en klonk geweldig. Ze bewoog met zelfvertrouwen en liep tussen de andere Fransen door terwijl ze haar solo's zong. Af en toe had iemand anders een solo en ze waren allemaal goed, maar het was duidelijk dat Celeste hun grote ster was. Haar gezicht straalde van enthousiasme.

Zij was hun Rachel Berry.

Rachels vingers begonnen te trillen van jaloezie. Ze ging erop zitten om ze stil te houden. Het was niet eerlijk dat Celeste zo mooi kon zingen, ze was slank en blond en waanzinnig, en Finn, de enige jongen om wie Rachel ooit echt had gegeven, staarde Celeste met open mond aan. Ze kon de kwijl er zowat uit zien lopen.

Het was waar. Finn was verpletterd door Celestes talent. Hij vond Celeste al leuk, maar toen ze ging zingen vond hij haar nog leuker. Hij had een zwak voor muzikaal talent, hij kon nog precies voelen, als hij dat wilde, wat er door hem heen ging toen hij Rachel voor het eerst hoorde zingen. Dit was anders, maar het kwam in de buurt.

'Is ze niet geweldig?' vroeg Finn aan Kurt, die naast hem zat. Hij droeg een vlinderdas, wat Finn raar vond. Rachel zat aan de andere kant van Kurt en boog naar voren om het gesprek af te luisteren. Wat was er zo belangrijk dat Finn niet kon wachten tot het optreden was afgelopen?

Finn zat zo dicht bij hem dat Kurt alleen maar hoefde in te ademen om de zepig schone geur van Finn op te snuiven. Kurt probeerde op Celeste te focussen, die best sensationeel klonk. Ze had ook wel gevoel voor stijl. 'Celeste doet me denken aan een jonge Vanessa Paradis.'

Finn knipperde met zijn bruine ogen. Hij luisterde half, betoverd door Celeste. 'Wie?'

Kurt zuchtte diep en keek Finn aan. Hij was mooi, maar wist echt helemaal niks. 'De meest beroemde Franse popzangeres van de laatste twee decennia, en zielsverwante van Johnny Depp, het stijlicoon.' Kurt was niet zo'n groot voorstander van de rommelige look, maar alles stond Johnny Depp geweldig.

'O.' Finn keek weer naar Celeste, die haar krullen naar achteren zwiepte terwijl ze het laatste couplet zong. Onnodig, dacht Rachel. Je moet op je stem vertrouwen en je niet aanstellen. 'Ze vertelde mij dat ze in een grote show in Parijs mocht optreden toen ze klein was,' fluisterde Finn tegen Kurt.

Rachel had het gehoord en flipte. Had Celeste opgetreden in een grote show? Rachel wist dat ze niet met Finn mocht praten – Quinn was erbij – maar het kon haar niks schelen. Ze moest meer weten van dat Celeste-wicht. Hoe durfde ze zoveel talent te hebben?

Ze boog zich over Kurt heen en tikte Finn op de arm. 'Welke show?' fluisterde ze, en ze deed haar best gewoon nieuwsgierig over te komen in plaats van stikjaloers.

Finn keek moeilijk terwijl hij nadacht. Rachel probeerde heel hard om niet boos te worden. Waarom kon Finn nou nooit de belangrijke dingen onthouden? Zaten er te veel sportstatistieken in zijn kop, of videogameweetjes, zodat er geen plek meer was voor de dingen die er echt toe doen? '*Les... Les Misér...* nog iets?' zei hij uiteindelijk.

Rachel viel bijna van haar stoel. Had Celeste in *Les Misérables* gezongen? In Parijs? Rachels lievelingsshow aller tijden? Of op één na lievelingsshow, afhankelijk van haar bui. Op het podium van wat ongetwijfeld het Franse equivalent was van Broadway, als zoiets al bestond. Het was vreselijk oneerlijk. Zelfs als Celeste alleen een figurant was geweest, als een van de zwerfkinderen.

Ondanks alle kansen die ze had gekregen in haar leven – uitgebreide stemtraining sinds ze drie maanden oud was, jazzdans, balletles en tapdanslessen, haar persoonlijke psychotherapeut aan wie ze al haar diepste wensen en dromen kon vertellen – had Rachel nog nooit in een grote productie gezongen van... wat dan ook.

Terwijl ze Celeste bekeek moest Rachel toegeven dat ze eindelijk iemand was tegengekomen met net zoveel talent als zij. Ze had gehoopt dat ze dit niet zou hoeven meemaken tot de Nationals, of zelfs tot ze op Juilliard studeerde, of een ander ongeëvenaard goed conservatorium. Maar het gebeurde nu al, en dat was niet fijn.

Rachel herstelde, althans, het leek alsof ze herstelde, en ze applaudisseerde beleefd mee met de enthousiast klappende Glee Club. Finn klapte het hardst van iedereen en floot zelfs tussen zijn vingers zoals bijna alleen jongens weten hoe dat moet.

Maar vanbinnen was Rachel ziedend. Ze ging níét toelaten dat een of ander willekeurig Frans meisje McKinley High kon binnenstappen en de show stelen. Rachel was het beste wat de muziekafdeling van McKinley High ooit was overkomen sinds de uitvinding van de piano, en niet Celeste Huppeldepup. Oké, het kind had talent, maar ze had niet Rachels vastberadenheid en lef.

Na het optreden stonden de Glee-kids op en liepen naar de Franse leerlingen. Ze feliciteerden hen met het nummer en stelden allerlei vragen. Het lukte Brittany om naast monsieur

Renaud te staan en bevallig tegen de piano te leunen. 'En, hebt u ooit fantasieën over Amerikaanse, eh, dingen? Zoals cheerleaders?' vroeg ze, en ze knipperde met haar ogen.

Finn liep recht op Celeste af, die met meneer Schuester praatte. De uitdrukking op meneer Schuesters gezicht bevestigde Rachels grootste angst; hij was net zo onder de indruk van Celestes talent als Rachel. Als Celeste een grotere rol kreeg in hun gezamenlijke optreden zaterdag, kreeg ze een hartstilstand. Ze had haar portie pech voor die dag wel gehad.

En terwijl ze er toch over nadacht, het was ook niet eerlijk dat Celeste Finn kon hebben, terwijl Rachel niet eens met hem kon praten. Het was duidelijk dat Rachel haar eer kon redden door aan Celeste duidelijk te maken dat Finn en McKinley High het terrein waren van Rachel Berry, en dat er niet genoeg plek voor twee supertalenten was.

Meneer Schuester ging midden in het lokaal staan. Hij stond nog steeds als een idioot te applaudisseren. 'We zullen het er allemaal over eens zijn dat het Lycée de Lyon Chorale geweldig is. Het lijkt me fantastisch om jullie samen te horen zingen.'

Rachel zuchtte theatraal. Als ze niet de hoofdrol kreeg, zou ze haar spullen pakken en weglopen. Maar... stel dat meneer Schuester wílde dat ze wegging, zodat Celeste in haar eentje in de spotlights kon schitteren? Rachel besloot om te blijven.

En om te vechten, als het moest.

Meneer Schuester haalde een stapel papier uit zijn leren koerierstas. 'Monsieur Renaud en mij leek het leuk om een *mash-up* te proberen van "Love Train" van de O'Jays, en een upbeatversie van de klassieke "Hymne a L'Amour" van Edith Piaf, een van de grootste Franse zangeressen die ooit geleefd heeft.'

'In het Frans?' vroeg Puck, en hij keek bedenkelijk. 'Ik spreek nauwelijks Engels.' Hij wilde knipogen naar Rielle maar die zat met Artie te kletsen. Man, als Artie het meisje kreeg in plaats van Puck zou Puck er niet mee kunnen leven.

Meneer Schuester lachte en gaf de stapel aan Brittany en Santana om uit te delen. 'Ik denk dat je het wel leert. Het is een mooie gelegenheid om hulp te vragen aan je Franse partner om je te helpen met de uitspraak.'

Hm. Langzaam maar zeker groeide een plannetje in Rachels hoofd.

Muzieklokaal, woensdagmiddag na de repetitie

Nadat meneer Schuester de repetitie afsloot met de mededeling dat ze de volgende ochtend vroeg weer gingen repeteren, bleven veel leerlingen in het lokaal rondhangen. Niemand had zin om weer de kou in te gaan en ze deden hun jas, sjaal en muts met tegenzin weer aan. Het was gaan sneeuwen en buiten glinsterde de sneeuw onder de lantarens. De repetitie was goed gegaan maar de twee clubs hadden meer tijd nodig om een goed geheel te vormen, vooral omdat ze een tweetalig lied zongen.

Rachel pakte haar roze winterjas en bijpassende gebreide muts en liep op meneer Schuester af. Haar angst dat Celeste een grotere rol zou krijgen dan zij was helemaal niet nodig geweest, meneer Schuester en monsieur Renaud hadden besloten er een ensemble van te maken, met veel korte solo's. Rachel had meestal een hekel aan nummers waar zij weinig kans kreeg om te schitteren maar ze was blij dat Celeste niet meer solo's had dan zij.

Al betekende dat niet dat ze haar nu iets gunde. De hele repetitie had ze alleen maar kunnen denken hoe oneerlijk het was dat Celeste alles kreeg. Rachel had natuurlijk ook gedacht aan haar geweldige stem, die volmaakt zuiver bleef, zelfs als ze onbegrijpelijke woorden zong in een vreemde taal, maar ze had vooral gedacht aan Finn en Celeste en hoe ze hen uit elkaar moest halen.

Meneer Schuester stond met zijn rug naar haar toe met monsieur Renaud bij de piano de repetitie door te nemen. Ze tikte hem op zijn schouder. 'Meneer Schuester?'

Meneer Schuester draaide zich naar haar om. Ze wist niet waarom, maar hij wreef altijd over zijn voorhoofd en keek moeilijk als ze met hem praatte. De meest logische reden was natuurlijk omdat hij wist dat zij met haar muzikale talent nooit makkelijke vragen voor hem had. Rachel vond het goed om de muziekafdeling scherp te houden met doortastende vragen. 'Ja, Rachel?'

'Ik wou alleen maar zeggen dat ik het leuk vind om Jean-Paul als partner te hebben, maar ik denk dat het voor iedereen beter zou zijn als ik met Finn van partner ruilde.' Rachel vond dat je altijd zelf moest zorgen voor de oplossing van een probleem waar je last van had.

Meneer Schuester keek bedenkelijk. Rachel zag er zo onschuldig uit in haar donkerblauwe jurkje en geruite maillot, maar hij wist wel beter. Rachel handelde alleen uit eigenbelang. 'Hoezo?'

Ze keek naar Finn, die naast Celeste was gaan zitten en enthousiast zat te praten. 'Omdat Celeste en ik overduidelijk allebei de ster zijn van onze eigen Glee Clubs en daardoor elkaar goed kunnen begrijpen. Ik weet zeker dat ze veel van mij zou kunnen leren.'

Ze zag een vreemde blik in meneer Schuester ogen en voegde er snel aan toe: 'En ik kan ongetwijfeld veel van haar leren.'

'Je hebt gelijk, maar hoe moet het dan met Jean-Paul?' Meneer Schuester vond het wel een goed idee als Rachel met Celeste zou samenwerken. Hij zag zelf ook wel dat sommige interculturele relaties boterden en andere helemaal niet. Misschien zou dit de boel oppeppen. Trouwens, Celeste had ongelofelijk veel talent. Misschien zou Rachel door de samenwerking met Celeste eindelijk een les in bescheidenheid krijgen. Dat was hoognodig. 'Ik wil niet dat Jean-Paul zich in de steek gelaten voelt.'

Rachel schudde verwoed haar hoofd. 'Dat gebeurt niet. Ik denk dat hij heel graag partners wil zijn met Finn.' Ze haalde bescheiden haar schouders op en friemelde aan het hartje dat om haar nek hing. 'Ik denk dat hij een mannelijke mentor nodig heeft.'

'Goed, Rachel.' Meneer Schuester knikte langzaam. Hij kon zich wel voorstellen dat Rachel nogal heftig was voor een stille Franse jongen als Jean-Paul. 'Je mag Celeste vertellen dat je haar Amerikaanse mentor bent tot het einde van haar verblijf.'

Rachel maakte een sprongetje en klapte in haar handen. 'Dank u, meneer Schuester!' Eindelijk begreep meneer Schuester eens een keer dat je haar niet moest dwarsbomen. Ze streek haar jurk glad en bereidde zich voor om op Celeste en Finn af te stappen. Ze zaten te kletsen, althans, Finn zat te kletsen. Celeste keek verveeld terwijl ze de bladmuziek in haar zwarte koerierstas propte.

Rachel liep met een brede glimlach op hen af. Ze kon niet wachten om het goede nieuws aan de twee te vertellen.

Haar timing was heel slecht. Net toen ze voor hen stond, zei Finn: 'Dus, eh, wil je vrijdag mee naar het Basketbal-Cheerios feest? Als, eh, mijn date?'

Rachels gezicht werd roodgloeiend. Ze was te laat! Finn had Celeste al mee uit gevraagd. Ze kreeg een weeïg gevoel in haar buik, net als die keer dat dr. Engelhart, haar huisarts, haar een prik had gegeven. Ook al wist ze dat het pijn zou doen, toch had de scherpe steek in haar arm haar verrast.

Celeste leek blij met de afleiding. Ze trok een rood-wit gestreepte muts over haar oren, waardoor ze eruitzag als een skikonijntje. Ze deed alsof ze Finns vraag niet gehoord had. 'Je was gisteren erg goed, Rachel. Je hebt een mooie stem.'

Rachel straalde. Een compliment was altijd fijn, ook al was het nog zo bescheiden. En ging Celeste nu echt niet in op Finns uitnodiging? 'Jij ook, Celeste. Je hebt duidelijk heel veel talent. En daarom heb ik aan meneer Schuester gevraagd of ik met Finn van partner kan ruilen, zodat we meer kunnen samenwerken.'

Rachel had verwacht dat er wel wat tegengestribbeld zou worden – waarom zou Celeste de knappe Finn willen in-ruilen voor een meisje dat haar rivaal was op zanggebied?

– maar tot haar verrassing sprong Celeste op en omhelsde Rachel. 'Dat is een geweldig idee!' Ze keek even naar Finn, die Rachel boos aankeek. 'Ik wil heel graag met je samenwerken.'

Finn sloeg zijn armen over elkaar en staarde Rachel doordringend aan. Ze probeerde niet naar hem te kijken, maar ze zag dat hij pisnijdig was. 'Waar haal je dat vandaan? Celeste is mijn partner.'

Rachel keek even of Quinn en de Cheerios in de buurt waren maar die waren direct na de repetitie vertrokken. Ze kon nu even met Finn praten. 'Dat klopt, maar dit is gewoon logischer. Twee supertalentvolle vrouwelijke solisten...'

Finn ging staan. Rachel kon zo bazig zijn dat hij altijd wilde staan om haar eraan te herinneren dat hij bijna twee koppen boven haar uit stak. Hij pakte haar arm en probeerde haar opzij te trekken, zodat Celeste het niet zou horen. 'Maar waarom doe je dit?'

'Ik weet niet wat je bedoelt,' zei Rachel en ze raapte haar rugzak op van de grond. Het was best fijn om met Finn te praten, zelfs nu hij boos op haar was. Ze miste hem.

'Doe je dit om me terug te pakken?' Finn kreeg een verwarde blik in zijn ogen. Rachel was gek op die blik, die ze erg vaak gezien had. 'Je bent de hele week al boos op me.'

Rachel stak haar neus omhoog. Celeste keek haar aan en ze wilde geen domme emotionele indruk maken. 'Bemoei jij je nou maar gewoon met je eigen zaken en ga naar je nieuwe partner Jean-Paul.' Ze wees naar Jean-Paul, die in de hoek van het lokaal naar hun groepje stond te gluren. Hij had zijn leren jas al aan en stond daar maar te kijken. Beetje eng. 'Hij wil alles weten van basketbal. Ik heb hem verteld dat jullie dit seizoen nog geen een keer verloren hebben en hij leek zwaar onder de indruk,' jokte Rachel.

Celeste trok rode handschoenen aan. Ze wilde duidelijk weg. Rachel pakte haar arm. 'Tot morgen,' zei ze tegen Finn en ze wuifde elegant met haar vingers, zodat hij kon zien dat ze niet boos was.

Rachels plan had gewerkt. Als ze iets had geleerd na honderd keer *All About Eve* kijken, was het wel dat je je vijanden – je rivalen in de liefde of op het podium – te vriend moest houden.

16

Gang, woensdag na de repetitie

Puck slenterde met zijn bekende coole loopje de gang op
na de zoveelste maffe Glee-repetitie. Hoe graag hij ook
wegkwam uit dat lokaal, hij was niet van plan om ooit
snel te lopen, hij zweette alleen als hij sportte en soms
wanneer hij wegrende van de beveiligingsmedewerker als
hij iets duurs had gejat in het winkelcentrum. Meteen zag
hij Rielle stilstaan voor de glazen prijzenkast van de jazz-
band. Goed, ze was een Glee-nerd, maar die Franse Glee-
nerds waren sexy. En ze leek op een stoute rockchick. Ze
had gitaar gespeeld tijdens het optreden van de Franse
club en er was echt niks geiler dan een meisjesgitarist. Behalve dan een naakte meisjesgitarist. Misschien was het eindelijk tijd om haar kennis te laten maken met de charme
van de Puckster.

Ze stond met Artie te praten, die altijd een spencer droeg.
Daar knapte ieder meisje op af, of ze nou sexy was of niet.
Goed, dat was misschien wat gemeen, want Artie was een
goeie gast, maar Puck was een realist. En hij wist dat hij meer
kans maakte met Rielle dan Artie ooit zou hebben.

'Whassup, Artie?' zei Puck, en hij stompte hem zacht tegen
zijn schouder. Hij wist dat Artie het vast prettig vond om dezelfde behandeling als gewone jongens te krijgen. Hij knikte
naar Rielle, die flauwtjes teruglachte. 'Ik vroeg me af of je mij
een dienst kunt bewijzen.'

Artie probeerde niet te grimassen. Meestal negeerde Puck
Artie, en als hij dat niet deed had hij de irritante gewoonte
om hem tegen zijn arm te stompen. En dat deed hij alleen als
hij iets van hem wilde. 'Hangt ervan af,' zei Artie.

Rielle giechelde. Ze droeg een skimuts met oorflappen en

die stond haar echt heel sexy. Puck knipoogde, hij kon er niks aan doen. Ze giechelde, en dat was ook sexy.

'Het is niet zo moeilijk. Ik weet dat jij altijd supergoede aantekeningen maakt over de boeken die we bij Engels lezen en ik wou je aantekeningen hebben over dat boek dat we deze week moeten bespreken.' Puck stak zijn duimen in de lussen van zijn vale zwarte jeans en spande zijn pecs aan. 'Ik heb het heel druk gehad met basketbal, volgende week hebben we een belangrijke wedstrijd en vrijdag hebben we een feest. O, sorry, dat weet jij natuurlijk niet.'

'*Cyrano de Bergerac*,' zei Artie en hij keek naar zijn knieën. Zelfs als Puck aardig wilde doen, was hij een eikel. 'En het is een toneelstuk.' Natuurlijk ging Puck het niet lezen. Hij kon nauwelijks wakker blijven in de les.

'Ja, precies. Ik heb er geen tijd voor gehad en ik moet echt een hoger cijfer halen dan de vorige keer, anders mag ik geen basketbal meer spelen.' Puck deed alsof hij een basketbal in een net gooide. 'Of met Glee meedoen.'

Artie kneep hard in zijn wielen. Puck was wel de laatste persoon die hij wilde helpen, maar hij wilde niet lullig doen waar Rielle bij was, die er zo schattig uitzag met haar felgekleurde muts. Ze stond een beetje naar Puck te lachen. Flirtend te lachen. Geweldig. 'Oké, dat is goed. Je mag ze wel lenen.'

'Fijn!' Hij stompte Artie tegen zijn andere schouder. 'Je bent een held, Artie.'

Artie rolde met zijn ogen. Hij wist dat Puck alleen maar zo vaak 'Artie' zei omdat hij wilde bewijzen dat hij wist hoe Artie heette. Een paar weken geleden had hij hem 'Archie' genoemd. 'Je krijgt ze. Kom morgen vóór het eerste uur naar mijn locker. Ik heb ze vanavond nodig voor mijn opstel.'

'Vet.' En ja hoor, het was te verwachten. Zodra Puck had gekregen wat hij van Artie wilde hebben, draaide hij zich om naar Rielle, die tegen de muur leunde. Ze had de schattige gewoonte om met grote ogen te kijken naar mensen die voor haar neus Engels spraken, alsof ze het dan beter kon begrijpen. 'Je hebt een leuke stem. En het is gaaf dat je gitaar speelt.'

Rielle bloosde. Artie rolde weer met zijn ogen. Waarom vielen meisjes altijd voor eikels als Puck? 'Bedankt. Heel erg bedankt.'

Puck knikte, en streelde zijn mohawk. 'En ik hoor dat je ook nummers schrijft en dat je hulp nodig hebt met het schrijven van Engelse teksten. Kan ik je misschien helpen?'

Artie verslikte zich bijna. Ging Puck teksten schrijven? Kon hij dan over iets anders schrijven dan Nintendo en MILF's? Kon hij wel schrijven?

'Hoe weet je dat ik mijn eigen muziek maak?' vroeg Rielle en ze leunde tegen de muur. Ze speelde afwezig met de rits van haar jas, open, dicht, open, dicht.

Puck keek ongemakkelijk, waar Artie om moest lachen. 'Ja, Puck, hoe weet je dat?' Puck keek ontwijkend en Artie genoot. Puck had vast niet veel ervaring met onzekerheid, dacht Artie.

'O, ik, eh... ik denk dat ik je met Artie in het muzieklokaal voor de repetitie heb horen praten.' Puck keek naar de grond en verschoof zijn tas aan zijn schouder. 'Ik luisterde niet expres af.' Hij keek Rielle aan met ogen die om vergeving smeekten. Hij knipperde zelfs verlegen met zijn wimpers. Artie vond dat Puck zich moest schamen.

Maar Rielle streek een pluk haar achter haar oor en knikte. 'Het is oké. Ik kan zoveel teksten gebruiken als mogelijk.' Ze keek Artie aan en glimlachte. 'Dat zou fijn zijn.'

Artie was te pissig op Puck om te kunnen lachen om Rielles slechte grammatica. Hij had het gevoel alsof Puck hem in zijn maag had gestompt. Puck had staan afluisteren, en dan had hij ook nog eens het lef om voor te stellen dat hij Rielle met haar teksten wilde helpen? Artie wist echt wel waar Puck haar eigenlijk mee wilde helpen.

'Top.' Puck grijnsde, richtte een neppistool met zijn duim en wijsvinger op Rielle en deed alsof hij haar neerschoot. 'Je hoort nog van me.' En met een knik draaide Puck zich om en liep weg. Artie had een hekel aan het loopje van Puck, alsof hij een cowboy was, of een gangster die net iemand neer had geknald. Als Artie kon lopen zou hij echt nooit zo rondlopen. En 'je hoort nog van me'? Puck had een enorm bord voor zijn hoofd.

Toen Puck weg was keek Rielle Artie weer aan. Haar groenbruine ogen straalden en Artie baalde ervan dat dat door Puck kwam. 'Puck lijkt me erg... hoe zeg je dat in het Engels? *Meprisable?*'

Artie lachte en reed verder door de gang. Zijn vader stond vast al te wachten op het parkeerterrein. 'Vies. Vieze man.' Hij stelde het op prijs dat Rielle dat over Puck zei tegen hem, maar hij kon zien dat ze Puck best leuk vond. Wat was er nou zo leuk aan Puck? Zijn overdaad aan zelfvertrouwen? Zijn biceps? Hij was lui en gemeen en niet echt slim. Meisjes verdienden een stuk beter. Althans, Rielle wel. Misschien had Artie niet moeten beloven dat Puck zijn aantekeningen mocht gebruiken.

Alsof ze zijn gedachten kon lezen, zei Rielle: 'Royaal van je om een Glee Club-lid te helpen. Erg aardig van je.' Ze trok haar zwarte leren handschoenen aan.

Goed, nu voelde Artie zich al een beetje beter. Misschien moest hij zich maar gewoon neerleggen bij het feit dat hij altijd de jongen was die het leuke meisje bewonderde, en aardig vond, en vertrouwde, terwijl de Pucks van deze wereld het meisje dan altijd krégen. Hij was gedoemd om eeuwig de beste vriend te zijn en daar moest hij genoegen mee nemen.

'Wil je...' begon Rielle, en ze onderbrak zichzelf. 'Ik bedoel, wil je met Kurt en Mercedes en nog wat mensen mee naar het winkelcentrum? En met mij? Om te shoppen?'

Jeetje, wat was ze schattig. Hij wilde eigenlijk best wel met iedereen mee en dan een beetje rondhangen bij de grote fonteinen en smoothies drinken en frietjes eten van de ranzige snackbar. 'Ik... ik kan niet,' zei Artie uiteindelijk. Hij moest werken, de perfecte tekst voor Rielle schrijven. Hij ging de rest van de avond in zijn kamer brainstormen met een schrift en zijn gitaar, totdat hij iets briljants verzonnen had.

Rielle fronste haar wenkbrauwen. Het leek alsof ze iets wilde zeggen, maar de juiste woorden niet kon vinden. Wacht maar, straks vond Artie de juiste woorden voor haar. Dit was zijn kans om op te vallen. Je had hersens nodig om een goede songtekst te schrijven. En als het ging om hersens, kon Puck zich niet eens kwalificeren voor de wedstrijd.

Lima Galleria Winkelcentrum, laat in de middag op woensdag

Op elke doordeweekse middag of avond wemelde het in het Lima Galleria Winkelcentrum van de middelbare scholieren op zoek naar vermaak. Dat varieerde van winkeleigenaren tot wanhoop drijven door ontelbaar veel kleren te passen zonder ooit iets te kopen, tot een zoute, vette reuzenpretzel kopen en hem samen delen terwijl je tieners van de andere sekse bekeek. De wintermaanden waren de drukste tijden van het jaar en deze woensdagmiddag doolden overal groepjes McKinley High-leerlingen door de witte marmeren gangen, of om de grote dolfijnenfontein midden in het glazen atrium, die altijd naar chloor stonk.

Kurt was tot de conclusie gekomen dat de Franse meisjes geïnteresseerd waren in alles wat hij ook maar te zeggen had over mode en gaf Angelique, Claire, Sophie en Aimee een rondleiding door het winkelcentrum. Hij liet ze zien waar je de beste gezichtscrème kon kopen, de beste T-shirts, de beste laarzen; nou ja, alles. Ze doopten hem om tot reisleider en liepen achter hem aan, kwetterend en om hem heen fladderend als blije vogeltjes.

Mercedes was iets serieuzer bezig. Ze had Marc op sleeptouw genomen en was van plan om coole kleren te vinden voor zijn grote Amerikaanse make-over. Ze had Kurt niet verteld wat ze ging doen. Kurt had de neiging om helemaal los te gaan bij make-overs en ze wilde niet dat Marc straks een kaalgeschoren hoofd, een giletje en een strohoed zou hebben.

Trouwens, ze vond het leuk om Marc voor zichzelf te hebben. Hij was grappig en ze hadden veel lol samen.

De eerste winkel waar ze naar binnen gingen was Mezzo,

het nieuwe boetiekje. Mercedes had de Cheerios erover horen kletsen. En ook al waren de Cheerios irritant, ze wisten wel waar je leuke kleren kon kopen.

Marc keek naar het bord boven de strakke moderne gevel. '*Mezzo* is Italiaans voor midden. Of *medium* in het Engels,' zei hij terwijl ze naar binnen gingen. De muren waren stijlvol grijs geschilderd en de donkere notenhouten vloeren glansden onder de spotjes. Langs de muren hingen de kleren aan metalen rekken op wielen en door de hele ruimte stonden leren stoeltjes die er niet bepaald comfortabel uitzagen. Over de speakers hoorden ze snelle popmuziek in een vreemde taal die zelfs Marc niet herkende.

Mercedes pakte een zwartzijden topje van een van de rekken. 'Ik hoop niet dat ze hier alleen maar maat medium hebben want niets aan mij is medium.'

'Je stem is zeker niet medium. Die is eh... extra large?' opperde Marc. Hij droeg een zwartleren pilotenjack met een megagrote afbeelding van een voetbal op zijn rug. Ach, zo was zijn afgrijselijke geblokte overhemd in elk geval niet te zien.

Mercedes gooide haar hoofd naar achteren en schaterde. Alleen een Franse jongen kon een meisje extra large noemen en ermee weg komen. 'Klinkt grappig, maar ik aanvaard het compliment.'

Ze liep naar de rekken met mannenkleren aan de linkerkant van de winkel. Ze hoopte dat hij het niet raar zou vinden als ze wat kleren aan hem liet zien, maar hij leek er niet door geraakt te zijn. Toen ze had voorgesteld om samen na school te shoppen, had hij gezegd: 'Ik kan wel wat Amerikaanse kleren gebruiken.' Ze hoopte niet dat hij daarmee bedoelde dat hij een honkbalshirt wilde van de New York Yankees, zoals alle toeristen.

Ze greep een simpel zwart overhemd met zwart borduursel op de borstzak. 'Volgens mij is dit echt iets voor jou. Ik zie het al helemaal voor me.' Ja, als ze haar ogen samenkneep en deed alsof ze zijn vreselijke, te korte en te blauwe jeans niet kon zien, of dat afzichtelijke overhemd.

124

'Ja?' Marc hield het overhemd voor zich en bedekte zijn glimmende pilotenjack. Hij zag er meteen tien keer leuker uit. 'Past-ie me?'

'We gaan nog meer dingen zoeken voor je om te passen.' Mercedes was dol op shoppen en het was nog leuker als je voor iemand anders kleren uit mocht zoeken. Ze pakte een paar donkere jeans van een stapel, ze had een geweldig gevoel voor iemands maat. 'Dat is leuker. Kijk naar deze jeans. Ze zijn gruwelijk.'

'Is dat goed?' vroeg Marc en hij lachte. Hij streek over een stapel truien. Hij had heel mooie tanden.

'Ja.' Mercedes pakte een antracietgrijze trui en keek naar de label. 'Je kunt bijvoorbeeld zeggen: "Mercedes Jones is gruwelijk".'

Marc knikte bedachtzaam. Hij keek naar het prijskaartje van een zwarte pantalon en gooide hem over zijn schouder. 'Of: Puck dénkt dat hij gruwelijk is.'

Mercedes wees naar Marc. 'Verdomd, je begrijpt het.' Ze schudde haar hoofd terwijl ze een stapel T-shirts bekeek. Ze wist bijna zeker dat Marc een medium was, al die Franse jongens waren best mager. 'Manhoer is ook een woord dat op Puck slaat.'

'Dat is grappig. Gerard, zijn partner, is ook een manhoer. Die heeft ongeveer acht vriendinnetjes.' Marc pakte een wit T-shirt met een afbeelding van New Kids on the Block. Mercedes nam het T-shirt zachtjes uit zijn handen en legde het weer op de tafel.

'Echt waar?' Mercedes trok een vies gezicht. Gerard was best leuk om te zien, maar ze was niet zo dol op kleine mannetjes. Misschien kreeg Puck alle meisjes omdat hij net als Gerard ondanks zijn vele tekortkomingen zichzelf zo geweldig vond. 'Misschien trekken ze elkaar daarom niet.'

'Ik denk dat ik wel genoeg heb. Waar moet ik ze passen?' vroeg Marc, en hij hield zijn armen omhoog. Ze waren overladen met kleren. Mercedes vroeg zich af of hij het gewoon leuk vond om kleren te passen, of dat hij een creditcard bij zich had.

Ze keek om zich heen. Een graatmager winkelmeisje dat leek op een *America's Next Top Model*-deelneemster bekeek hen wantrouwend vanuit de andere kant van de winkel. Mercedes liep naar een opening aan de zijkant van de winkel, naast een standaard met boxershorts. Ze was een ervaren shopper en kon de pashokjes altijd automatisch vinden. Ze keek niet naar het ondergoed terwijl ze Marc de weg wees.

'Je moet me alles laten zien, ook als je het lelijk vindt. Oké?' zei Mercedes terwijl hij achter de zwarte gordijnen van een van de pashokjes dook. Ze leunde tegen een rek afgedankte paskleding.

'Hé, waarom zijn die Cheerio-meisjes zo raar?' vroeg Marc van achter het gordijn. Ze hoorde dat hij zich uitkleedde en vroeg zich af of hij een mooi lichaam had. Ze wilde wedden van wel, ook al was hij wat aan de magere kant. 'Ze gedragen zich als filmsterren.'

Mercedes bekeek zichzelf in de spiegel. Ze droeg een goudkleurige sjaal als haarband, een soepele taupe met zwart gestreepte trui en jeans met brede pijpen en ze zag er goed uit. 'Ik denk dat ze zo ongeveer de grootste sterren zíjn. Hoger kom je niet in Lima. Er gebeurt hier niet zoveel, dus iedereen let op hen.'

'Vinden ze dan niet dat ze er grappig uitzien in die kostuums?'

'Volgens mij denken ze dat ze er waanzinnig uitzien.' Waarom waren dunne blonde meisjes toch altijd de baas? 'Wie zijn populair in jouw groep? Celeste?'

'Ja, Celeste is populair. Rielle is ook cool.' Marc stapte uit het hokje. Hij zag er totaal anders uit in de nieuwe jeans. De pijpen waren precies lang genoeg en kwamen tot op zijn schoenen, veel beter dan de jeans waarbij je zijn witte sokken kon zien. Hij zag er sexy uit in het zwarte overhemd. Mercedes gaf hem twee dikke duimen. Ze was nu al trots op het resultaat. 'Betekent populair dat je veel vrienden hebt?'

Mercedes keek door het rek met afgewezen paskleding en hing wat shirts recht. 'Nee, populair betekent dat iedereen altijd op jouw feestje wil komen als je er een geeft, maar dat je niet iedereen uitnodigt. Zoals het Basketbal-Cheerios feestje vrijdagavond.'

'Lijkt me een saai feest. Die Cheerios hebben niet veel te melden.' Marc grijnsde stout en dook weer achter het gordijn. 'Hebben ze dan ook die stomme pakjes aan?'

Mercedes leunde tegen de muur en keek op haar telefoon of ze nog berichten had. Ze had met Kurt en zijn clubje Franse volgelingen afgesproken om yoghurtijs te gaan eten. Maar terwijl ze de berichten doornam zag ze Brittany en Santana de winkel in lopen. Ze hadden allebei tassen van een andere winkel bij zich en liepen door Mezzo alsof ze wisten wat ze wilden kopen. Ze pakten vlug een paar jurkjes en liepen naar de kleedkamers. Het magere winkelmeisje dat Mercedes en Marc zo hatelijk had aangekeken, groette de Cheerios en noemde ze bij hun naam. Natuurlijk, dacht Mercedes.

Toen ze Mercedes bij de ingang van de kleedkamers zagen staan, leken ze allebei geschokt, alsof ze zich niet konden voorstellen dat Mercedes in dezelfde winkels shopte. Aan Santana's vinger hing een hanger met daaraan een elegant zwart strapless jurkje. Mercedes zag op het kaartje dat Santana maat 34 had, waardoor ze echt nooit meer een stuk pizza aan wilde raken. 'Hoi,' zei Mercedes vrolijk. Ze was niet van plan om zich uit het veld te laten slaan door hun omhooggevallen ego's.

Santana antwoordde minder vrolijk. Haar stem klonk laag en verveeld, alsof ze haar onverschilligheid voor alles wat met Mercedes te maken had goed duidelijk wilde maken. 'Wat doe jij hier? En waar is je vieze Franse minnaar?'

'Die met die afschuwelijke kleren,' voegde Brittany eraan toe, alsof Mercedes niet wist over wie ze het hadden.

Mercedes kreeg een naar gevoel in haar buik. Ze hoopte maar dat Marc het niet hoorde omdat hij zich druk aan het omkleden was, maar hun stemmen waren best hard en het leek alsof ze tot ver in de winkel te horen waren. 'Hij is hier binnen,' fluisterde ze en ze wees naar het gordijn.

'Nou en? Hij weet vast zelf ook dat hij er afschuwelijk bij-loopt.' Santana schoof een van de gordijnen open en hing haar kleren achteloos aan een haak. Een van de dure jurkjes gleed van het hangertje en viel op de grond.

'Wat is jullie probleem toch?' vroeg Mercedes. Haar hele gezicht was rood. De Cheerios deden altijd bot, maar dat betekende niet dat ze ook gemeen mochten doen. 'Mochten jullie vandaag niet eten van Coach Sylvester?'

'Wat is jóúw probleem?' zei Santana en ze hield het zwarte jurkje voor zich terwijl ze zich van alle kanten in de spiegels bekeek. Mercedes was zo veeleisend.

'Jullie zijn niet alleen enorme krengen, maar ook slechte gastvrouwen. Jullie zijn echt alleen maar met jezelf bezig. Geen wonder dat jullie niet eens doorhebben wat een coole kans deze uitwisseling eigenlijk is.'

Mercedes zette een hand in haar zij. Het was heerlijk om los te gaan op deze wijven. 'En waar zijn jullie Franse partners? Meneer Schu wordt niet blij als hij weet dat jullie ze gedumpt hebben. Alwéér.'

Santana rolde met haar haar ogen en ging haar kleedhokje in. 'En jij gaat ons natuurlijk meteen verklikken.'

'Ik vertrouw ze niet. Ze hebben heel rare accenten en daardoor vergeet ik waar ik ben,' zei Brittany ineens met haar zachte babystemmetje.

'Ja, we moeten Glee vergeten en ons helemaal richten op het Cheerios-nummer voor de show zaterdag,' zei Santana.

'Laten jullie Glee vallen?' Mercedes keek ze vol walging aan. Niet dat het haar verbaasde, eigenlijk. Ze wist dat die twee Glee net zo leuk vonden als de rest, maar ze waren het altijd aan het afzeiken omdat het niet cool genoeg was. En Mercedes wist dat hun reputatie erg belangrijk voor hen was. 'Wij hebben jullie ook nodig, hoor.'

'Jammer dat er niet meer van ons zijn op deze wereld.' Santana glimlachte liefjes naar Mercedes. Ze kwam weer te-voorschijn in een strakke rode jurk die niets te raden over-liet over haar lichaam. Ze draaide een rondje voor de spiegel met drie kanten en ineens zag Mercedes drie Santana's. Het leek wel een nachtmerrie.

'We moeten er gruwelijk goed uitzien op het feest,' zei Brittany van achter haar gordijn. Haar stem was gedempt. Alsof ze iets over haar hoofd trok. 'We zien je daar wel!'

Santana giechelde terwijl ze haar haar goed deed voor de spiegel. 'Eh, Britt, het is een Basketbal-Cheerios feestje. Mercedes hoort daar niet bij.'

'O.' Het klonk alsof Brittany vastzat in een jurkje, maar Santana en het winkelmeisje maakten geen aanstalten om even te gaan kijken. 'Nou, eh, dan zie ik je wel een andere keer.'

'Misschien wel.' Santana trok het gordijn weer achter zich dicht en Mercedes slaakte een zucht van opluchting. Ze haalde een paar keer diep adem, zoals ze ook vaak moest doen als ze Rachel was tegengekomen. Ze was niet van plan om zich van haar stuk te laten brengen door die twee leeghoofden. Maar toen hoorde ze een gordijn opzij gaan en daar stond Marc, in zijn oorspronkelijke outfit. Hij had een paar kledingstukken over zijn arm geslagen maar hij lachte niet. Ze was hem bijna vergeten.

'Het spijt me heel erg.' Mercedes pakte hem bij de arm en trok hem mee. Als zíj zich al rot voelde na de aanval van de Cheerios, hoe rot zou híj zich dan wel niet voelen? Zij was gewend aan de botte Cheerios, maar misschien hadden ze in Frankrijk geen valse cheerleaders. 'Die meisjes zijn vreselijk.'

Marc haalde zijn schouders op, maar Mercedes kon zien aan de manier waarop hij half glimlachte dat hij erg gekwetst was. 'Je hoeft je niet te verontschuldigen.' Hij hield zijn nieuwe kleren omhoog. 'Ik krijg wel erg veel zin om vrijdag naar dat feestje te gaan; wat is het woord voor op komen dagen? Zonder uitnodiging?'

'*Gate crashen*. Gewoon *crashen* mag ook.' Mercedes probeerde zich voor te stellen hoe Santana zou reageren als een paar Gleeks op kwamen dagen op hun heiliger dan heilige

Basketbal-Cheerios feestje. Dat was goud waard. 'Wil je hun feest crashen?'

Marc grijnsde en liep naar de toonbank. Hij overhandigde een paar shirts en jeans aan het meisje bij de kassa, dat blij verrast leek dat hij iets wilde kopen. Ze dacht vast dat tieners niks kochten en alles gewoon op de grond van de kleedkamer lieten liggen, of stiekem in hun tas propten. 'Ik heb nu nieuwe, niet-afschuwelijke kleren, en ik heb het gevoel dat ik hun avond flink kan vergallen.'

Mercedes begon te stralen. Wie zei dat alleen Cheerios lol mochten hebben?

Muzieklokaal, donderdagochtend

Meneer Schuester zat op een kruk en bladerde nerveus door een stapel bladmuziek terwijl de Glee-kids met hun Franse partners een voor een het muzieklokaal binnendruppelden voor de ochtendrepetitie. De meesten hadden koffie bij zich in een thermoskan of in een witte beker van de koffiewinkel, afhankelijk van hoe ze het liefst dronken om wakker en alert te blijven. Meneer Schuester had met monsieur Renaud een ochtendrepetitie ingepland omdat de dag ervoor al snel duidelijk was geworden dat ze meer tijd nodig hadden om van de twee groepen een goed geheel te maken. Niet dat de groepen slecht klonken samen, alleen, nou ja, ze klonken prima. En meneer Schuester had moeite met prima als resultaat.

Hij keek naar Rachel, haar roze donsjack en witte wanten nog aan en haar witte muts nog op. Ze zat naast Celeste, die zat te knikken en te lachen. 'Het was een geweldige ervaring om in Parijs te werken,' vertelde Celeste. 'Ik was Straatkind-1 en ik had maar twee regels tekst, maar het waren belangrijke regels.'

Rachel ritste haar jack open en hing het aan haar stoel. Ze had een blik in haar ogen die meneer Schuester herkende, het was haar Jaloerse Doodsblik. Hij had het een paar keer eerder gezien, wanneer hij niet aan Rachel, maar aan Tina of Mercedes een solo had gegeven, maar hij had hem nooit eerder zo sterk en duidelijk gezien. O jee. 'Ik wist niet dat Parijs een reputatie had voor kwaliteitsmusicals,' zei ze met afgemeten stem.

Celeste leunde achterover in haar stoel en wond een van haar blonde pijpenkrullen om haar wijsvinger. 'Amerikanen weten ook niet wat er zich allemaal in Europa afspeelt,' antwoordde ze beleefd.

Misschien had hij Rachel geen toestemming moeten geven om Celestes mentor te worden. Het was niet de bedoeling dat Celeste ineens op mysterieuze wijze zou verdwijnen. Ze hadden haar nodig.

Misschien was dit hele mentorgedoe geen goed idee geweest. Het leek wel alsof de groep nu nog meer versplinterd was dan ervoor, in plaats van dat er een band was gesmeed. Rachel leek erg uit haar doen, en waarom praatte ze niet meer met Finn? Tina en Artie – meestal onafscheidelijk – zaten nu ver uit elkaar en keken elkaar niet eens aan.

Meneer Schuester wreef over zijn hoofd. Hij hoopte dat het hem ging lukken voor zaterdag. Het Glee-nummer moest echt opvallen, en vooral beter zijn dan het ongetwijfeld idiote spektakel dat Sue Sylvester met haar Cheerios aan het voorbereiden was. Hij had het nog niet aan Philippe verteld, maar hij hoopte dat ze zoveel indruk zouden maken op voorzitter Doherty dat ze genoeg geld kregen om met de Glee Club naar Lyon te gaan. Behalve de trip van Rachel als baby naar Parijs was er verder nog niemand in Europa geweest en het zou hun goeddoen om de wereld buiten Lima, Ohio, te ontdekken.

Maar dat was alleen mogelijk als hij iedereen bij elkaar kreeg. Hij moest ervoor zorgen dat de kinderen maar één doel hadden de komende dagen. Als ze zaterdag een topoptreden wilden geven, moest iedereen op zijn of haar allerbeste niveau meedoen.

'Meneer Schuester, gaan we beginnen?' Rachel stond voor zijn neus en keek hem vol verwachting aan.

Meneer Schuester keek op de klok. Hij was er niet bij met zijn hoofd. 'Waar is iedereen?' De repetitie was al tien minuten geleden begonnen en de helft was er nog niet. Santana en Brittany waren nergens te bekennen, waarschijnlijk spijbelden ze weer. Quinn was ook afwezig, maar die verdiende wat toegeeflijkheid. Het viel vast niet mee om een zwangere middelbare scholier te zijn. Meneer Schuester voelde zich een klein beetje verantwoordelijk voor haar stress, ook al wilde hij dat niet toegeven. Terri, zijn ex, had zo ongeveer aangeboden om Quinns baby te kopen. Dat was... vreemd geweest. Die kleine Franse bariton – Gerard, toch? – was ook afwezig al was Puck er wel. Op zijn schoot lag een opengevouwen McMuffin met worst en ei. Hij zat enthousiast met Rielle te praten.

'Ze warmen eerst het ei op, dat is het geheim,' legde hij uit en hij tilde het broodje op zodat ze het kon bewonderen. 'Daarom is het ei zo mooi rond.'

'Fascinerend,' zei Rielle, en ze keek naar haar laarzen.

Artie, aan de andere kant van Rielle, zat zijn huiswerk na te kijken. Hij zag er verdrietig uit. Meneer Schuester schudde zijn hoofd en kwam naar hen toe. Zijn natte zolen – hij vergat elke keer weer om sneeuwlaarzen aan te trekken – piepten op het linoleum.

'Puck, ik kwam vanmorgen rector Figgins tegen.' Diep vanbinnen was Puck een goed mens, vond meneer Schuester, al had hij meer richting nodig en was hij hopeloos lui. Hij had vurig gehoopt dat Puck van de Glee Club zou leren dat er belangrijkere dingen waren in de wereld dan de vraag hoeveel kleine jongens in hun broek piesten als Puck naar hen keek. 'Hij vertelde me dat je je gemiddelde voor Engels moet verbeteren omdat je anders niet mee mag zingen zaterdag. Je moet morgen een opstel inleveren bij meneer Horn, zorg je ervoor dat je het op tijd inlevert? Hij heeft al gezegd dat hij het meteen nakijkt.'

'Geen probleem, meneer Schu, ik zit erbovenop.' Puck nam een enorme hap van zijn broodje. Zijn zelfvertrouwen kookte zowat over. 'Van Artie mag ik zijn *Cyrano*-aantekeningen gebruiken.'

Meneer Schuester klopte Artie op zijn schouder. 'Fijn, Artie, dat je een vriend in nood helpt.' Artie was door en door goed. Hij was een rots in de branding, die je nooit liet vallen.

'O ja.' Artie voelde in zijn rugzak en overhandigde beduusd de aantekeningen aan Puck. Zou Puck nog weten dat meneer Schuester ze 'vrienden' had genoemd als Puck en zijn maten weer op zoek waren naar een slachtoffer om hun slushies op leeg te gooien?

'Bedankt, man. Ik sta bij je in het krijt.' Puck stak zijn hand omhoog voor een high five. Hij was vet van de McMuffin.

Artie glimlachte half en sloeg tegen Pucks hand. Rielle keek toe en hij wilde niet laten merken dat hij baalde. Puck liet een vette veeg achter op de kaft van Arties schrift. Fijn.

'Goed, laten we beginnen!' riep meneer Schuester en hij haalde iedereen naar voren bij de piano. Zodra ze zongen, ging het al beter. De sopraanstemmen van de Cheerios ontbraken, maar Angelique, Aimee en Claire maakten dat goed met hun stem. Monsieur Renaud leek te balen dat Gerard er niet was… waar hing hij uit? Maar Puck en Artie zorgden voor een sterk mannenkoor.

Het enige probleem, ontdekte meneer Schuester toen hij eens rustig zat te luisteren, was Rachel, hoe erg hij het ook vond.

Ze kon gewoon niet stil blijven staan. Normaal gesproken was dat geen punt. Maar deze keer liep ze heen en weer tussen de anderen terwijl ze zong. Niet om hen erbij te betrekken, of om de aandacht van het publiek te trekken, maar om Celeste te volgen. Als Celeste een regel zong, stond Rachel recht achter haar en zong net een beetje harder. Eerst leek het alsof Celeste het negeerde, maar even later zong zíj ook harder! Tegen het eind van de repetitie duwden Rachel en Celeste elkaar bijna omver, om alle aandacht te krijgen.

Hij zou erom hebben kunnen lachen, als de show niet zo belangrijk was. Maar dit was gewoon belachelijk. 'Oké, mensen, goede repetitie. Ik zie jullie allemaal na schooltijd. Als jullie een van de Cheerios of een van de andere afwezigen tegenkomen, herinner hen alsjeblieft aan de repetitie vanmiddag.' Hij schraapte zijn keel. 'Rachel, kun je nog even blijven?'

'Ik kom eraan,' riep Rachel naar haar nieuwe partner Celeste, die haar spullen pakte en de gang op liep. Celeste betekende oppassen geblazen. Rachel had niet verwacht dat ze iemand van haar leeftijd zou tegenkomen die net zoveel talent had en net zoveel stemtraining als zij. Althans, niet in Lima. Maar Celeste was goed. Heel erg goed. 'Wat is er, meneer Schuester? Krijg ik een grotere rol? Daar ben ik helemaal voor. Ik vind echt...'

'Nee, Rachel.' Meneer Schuester trok aan zijn das en wachtte tot het lokaal leeg was. Hij wilde geen leerling in verlegenheid brengen waar andere leerlingen bij waren. 'Ik wil het over je houding hebben.'

'Mijn houding?' reageerde Rachel nijdig. Haar houding was voorbeeldig. Dat wist ze. Als iedereen zich helemaal zou inzetten voor elk lied zoals zij dat altijd deed, hadden ze vast geen extra repetities nodig. 'Hoe bedoelt u?'

'Ik bedoel dat je een toontje lager moet zingen.' Meneer Schuester krabde op zijn hoofd. Hij had zich die ochtend verslapen en geen ontbijt gehad en zijn maag rammelde van de honger. Hij moest snel naar de kantine om een bagel te kopen. 'Je weet dat je een geweldige zangeres bent, maar in dit nummer is er plaats voor meer dan één ster.'

Rachels mond viel open. 'Dat ben ik niet met u eens,' zei ze pinnig. Zij was de enige ster, en er was alleen plaats voor haar.

'Dit optreden gaat over eenheid, en het tot elkaar komen van mensen en culturen.' Meneer Schuester zuchtte en plofte neer op de pianokruk. Misschien kon hij haar beter overtuigen van zijn gelijk als hij niet boven haar uit torende. 'Het is belangrijk dat je met iedereen kunt samenwerken. Het draait niet altijd om jou, Rachel.'

Rachel perste haar lippen samen. Meneer Schuester had zo weinig ervaring met talent dat hij de zaken altijd verkeerd zag. Iedere ervaren coach zou inzien dat Rachels stem de sleutel was van elk nummer, met of zonder Celeste.

'Begrijp je?' Zijn ogen leken haar te willen doorboren.

'Helemaal.' Rachel stak haar kin omhoog en maakte rechtsomkeert. Ze pakte haar spullen bij elkaar en liep naar de deur. 'Ik begrijp dat u zo vastberaden bent om mijn carrièrekansen te verpesten dat het u niet eens uitmaakt als de hele groep daaronder lijdt.'

'Rachel!' riep meneer Schuester haar na, maar ze was de deur al uit.

Nu hij haar observeerde zou Rachel haar plan voor Celeste wat subtieler aan moeten pakken. Verderop zag ze Celeste giechelen en kletsen met de Franse leerlingen. Rachel vroeg zich heel even af of het wel terecht was dat Celeste een paar stappen terug moest doen. Ze was eigenlijk best aardig en kon erg goed zingen.

Maar dat betekende niet dat ze geen zwaktes had.

Rachel huppelde op Celeste af en glimlachte vrolijk. 'Ga je mee vers sinaasappelsap halen in de kantine voordat school begint?' vroeg Rachel. 'Ik heb het idee dat vers sinaasappelsap met veel vruchtvlees mijn stembanden de hele dag sterk houdt en ik drink het elke ochtend.'

'Echt waar?' vroeg Celeste. Ze draaide Claire en Nicholas meteen de rug toe en liep mee met Rachel. 'Ik drink altijd kruidenthee met honing.'

'Ik drink de avond voor elk optreden altijd een kop kamillethee.' Rachel vond het veel makkelijker om door de school te lopen als Celeste naast haar liep. Het leek wel alsof alle jongens naar achteren stapten om haar nog een keer goed te bekijken. Celeste droeg een wit T-shirtjurkje, een grijze legging en lange zwarte laarzen. Geen wonder dat ze zoveel aandacht kreeg. Rachel probeerde aan belangrijkere dingen te denken, zoals aan haar plan. 'Wat doe jij om je voor te bereiden?' vroeg ze, zo professioneel mogelijk.

Wat was er mis met een beetje onderzoek?

19

Kantine, lunchpauze donderdag

Donderdag was Indiadag, en in de volle kantine walmde het van de vreemde geurtjes. Rachel en Celeste pakten een blad dat nog warm was van de afwasmachine en gingen in de rij staan voor de warme maaltijd. Ze keken zenuwachtig naar het eten in de vitrines. Rachel liet haar dienblad over de metalen rails glijden. 'Rijst, graag,' zei ze tegen de verveeld ogende kantinemedewerkster met een lepel ter grootte van een tuinschep in haar hand.

'Wat is dat?' vroeg Celeste, en ze wees naar een bak zompige, donkergroene blubber. Ze trok haar volmaakt kleine neusje op. Als Rachel een witte jurk had gedragen, was ze binnen een paar minuten geslusht geweest. Misschien zou Celeste er wat Indiaas eten op morsen, niet dat Rachel haar kwaad toewenste.

'Ik denk dat het *palak paneer* is,' antwoordde Rachel trots. Haar vaders en zij waren trouwe afnemers van afhaalmaaltijden, en Bombay Paradise stond hoog op hun lijst van favoriete afhaalrestaurants. Maar dit zag er meer uit als Bombay Hell.

Rachel en Celeste namen allebei de *aloo matar*, een gerecht van erwten en aardappelen dat er redelijk onschadelijk uitzag. Maar tegen de tijd dat ze afrekenden, stonden ze te tollen van de oververhitte kantine – de verwarmingen spuwden weer eens hete lucht de ruimte in – en de doordringende lucht van Indiaas eten.

'Zullen we ergens anders eten?' vroeg Rachel. Ze werd een beetje draaierig. De kantine was net een stinkende sauna waar mensen in hadden staan koken.

'Dat is een goed idee.' Celeste blies een lok uit haar gezicht en liep achter Rachel aan die langs de volle tafels liep. De jocks gooiden al met stukjes gele bloemkool naar de glas-in-loodramen die uitkeken op het besneeuwde schoolplein. Rachel manoeuvreerde zich in de richting van de openslaande deuren aan de andere kant van de kantine. Normaal gesproken kon ze niet ongestraft door de kantine lopen met een dienblad vol eten, er was altijd wel iemand bereid om haar te laten struikelen. Maar Celestes aanwezigheid was als een gratis beveiliging tegen ongelukken.

'We kunnen in de gymzaal eten, op de tribune,' stelde Rachel ineens voor. 'In de dagen voor een belangrijke wedstrijd heeft het basketbalteam altijd extra basketbaltrainingen, en maandag moeten ze tegen Central Valley High spelen.' Rachel wist dat ze het alleen maar moeilijker maakte voor zichzelf, maar ze wilde Finn zien. Het zou fijn zijn om hem te zien, ook al mocht ze niet met hem práten.

Hoewel, Quinn en de Cheerios hadden die ochtend gespijbeld. Ze waren niet op de Glee-repetitie geweest. Zíj waren de afspraak niet nagekomen. Het was voorbij. Ze kon weer met Finn praten.

Celeste haalde haar schouders op. Rachel had verwacht dat ze het leuk zou vinden om Finn te zien, vooral na hun aanstellerige en misselijkmakende flirtsessie van de dag ervoor. Misschien wilde ze Rachel niet laten merken wat ze voor Finn voelde.

'Prima.'

De meisjes liepen door de verlaten gangen naar de gymzaal. Een handjevol leerlingen, die de lucht in de kantine zat waren of liever wilden kijken hoe een zooi zwetende jongens om een bal vochten, zat op de tribune.

Rachel en Celeste liepen voorzichtig omhoog en gingen boven op de tribune zitten. Het basketbalteam oefende een lay-up-formatie aan de andere kant van het veld. Iedere speler schoot een lay-up, rende naar de andere kant en ging onder de basket naast elkaar in de rij staan om een *foul shot* te gooien. Rachel zag Finn, onder de basket. Hij at een mueslireep terwijl hij op zijn beurt wachtte. Hij droeg een blauw versleten McKinley High Athletic-T-shirt dat eruitzag alsof het al een miljoen keer gewassen was. Het was vast bijna doorzichtig.

'Is dat niet Gerard?' vroeg Rachel ineens. Een kleine jongen racete naar de basket en maakte moeiteloos een lay-up, gaf een high five aan een paar jongens en racete naar de andere kant van het veld.

Celeste giechelde en prikte met haar vork in een aardappel. Ze staarde naar de lange driehoekige vaandels die aan de muur hingen, waarop de kampioenschappen voor basketbal, zwemmen en cheerleading uit het verleden stonden vermeld. Er waren geen vaandels voor het footballteam, dat notoir slecht was. 'Ja. Hij wil zeker graag basketbalspeler zijn.'

Finn keek eindelijk omhoog naar de meisjes terwijl hij in de rij stond om zijn foul shot te maken. Rachels hart hield bijna op met kloppen. Ze keek naar Celeste, die haar eten over haar bord schoof en niet eens naar Finn keek. Finn lachte naar Celeste, niet naar haar.

Rachel beet op haar lip, die erg droog aanvoelde omdat een Cheerio die ochtend haar lipgloss had gepakt en hem door de wc gespoeld had. Finn was toch niet nog steeds boos omdat ze van partner hadden geruild? Nee toch? Hij kon Celeste toch niet zó leuk vinden, hij kende haar nog maar pas! En ze ging over tweeënzeventig uur alweer naar huis! Het was bespottelijk.

Celeste keek naar Rachel en legde haar vork neer. Ze vouwde haar melkpakje open en nam een slok. 'Is Finn een… typisch Amerikaanse jongen?'

Rachel keek naar Finn. Dat was hij ergens wel. 'Ik weet het niet. Hij vindt sport belangrijk en videogames en zijn familie en vrienden. Hij kan vier hotdogs achter elkaar opeten zonder buikpijn te krijgen.' Maar Finn was zoveel meer dan dat. Hij vond de Glee Club zowaar leuk, en hij kwam op voor de dingen die hij belangrijk vond, ook als hij zichzelf daar niet populair mee maakte. 'Nee,' zei ze uiteindelijk. 'Niet echt. Wat is een typisch Franse jongen?'

Celeste glimlachte. Ze had irritant rechte tanden. 'Dat is een moeilijke vraag. Maar Franse jongens zijn erg ingewikkeld. Ze zijn niet erg...' Ze zocht naar de juiste uitdrukking. 'Rechttoe rechtaan? Ze zijn geheimzinnig en praten niet over hun gevoel, maar ze worden boos als je hun gedachten niet kunt lezen.'

'Ik denk dat Amerikaanse jongens ook niet altijd over hun gevoel praten. Soms zijn ze je zat voordat je weet dat er iets mis is.' Rachel keek naar Finn. Ze werd er verdrietig van dat ze met Celeste over hem praatte, maar ze kon zichzelf niet bedwingen.

Celeste keek van Rachel naar Finn en weer terug. De basketbalcoach blies op zijn fluit en riep de jongens bij elkaar. Ze legde haar vork weer neer. 'O... waren Finn en jij... vriendje en vriendinnetje?'

Rachel bloosde. Ze stelde zich voor dat Celeste haar over Finn ging uithoren, zoals wat zijn lievelingsijs was (chocolate chip cookie dough) of zijn lievelingsfilm (*Field of Dreams*, ook al zou hij uiteindelijk toegeven dat het *Transformers* was). Ze was niet zo blij met de richting die het gesprek uit ging. Rachel was degene die nu uit zou moeten vinden hoe Celeste in elkaar zat, niet andersom. 'Eventjes maar.' Rachel propte snel een mondvol aloo matar naar binnen om een volgende vraag te vermijden.

'Ik dacht al dat er iets tussen jullie was.' Celeste leunde achterover met pretlichtjes in haar blauwe ogen. Ze pakte een servetje en depte netjes haar mondhoeken droog. 'Finn is aardig, maar... ik snap niet wat er nou zo bijzonder aan hem is.' Ze haalde nederig haar schouders op, alsof ze net had toegegeven dat ze alle ophef over $e = mc^2$ niet begreep.

Rachel liet haar vork bijna vallen. Ze draaide zich zo snel om naar Celeste dat het dienblad bijna van haar schoot gleed. 'Wat?'

Celeste haalde haar schouders op en keek bedachtzaam

voor zich uit. Haar lippen waren roze en glanzend en perfect. 'Ik vind hem niet zo geweldig.'

Rachel knipperde met haar ogen. Begreep ze iets niet goed? Was er een taalprobleem? Hoe kon Celeste Finn nou niet geweldig vinden? Hij was lang, knap op een klassieke, ouderwetse manier, en had lieve bruine hondenogen. 'Vind je hem niet leuk?'

'Hij is aardig,' herhaalde Celeste, maar je kon zien dat ze gewoon beleefd wilde zijn. Ineens vond Rachel Celeste veel en veel aardiger. 'Dus ik wou hem uitproberen, weet je wel? Ik had gehoord dat Amerikaanse jongens veel makkelijker en liever zijn.'

'Uitproberen,' herhaalde Rachel. Ze had het nog niet helemaal verwerkt maar het begon haar te dagen. Celeste vormde alleen een bedreiging voor haar loopbaan, niet voor haar liefdesleven. Ze werd er een stuk blijer van.

'Hij is zeker aantrekkelijk. Maar hij zit altijd naar me te staren en heeft niks te melden.' Celeste propte een hap aloo matar naar binnen. 'Hij doet een beetje maf, vind je niet? Een beetje als een… hoe zeggen jullie dat. Sul?' Een erwt viel van haar vork en kwam op haar witte jurk terecht. Er bleef een spoor gele kerriesaus achter. '*Merde.*'

'Klopt.' Rachel gaf het liefdevol toe. Ze vond het zelfs zielig voor Celeste dat ze op haar witte jurkje gemorst had. Snel depte ze een servetje in haar mineraalwater en ze gaf het aan haar partner. 'Hij doet sullig.' Ze voelde zich stukken beter. Celeste zag Finn niet zitten. Rachel hoefde zich nergens zorgen om te maken!

'Ik heb jongens afgezworen. Ze stellen je altijd teleur.' Celeste glimlachte bedroefd terwijl ze de vlek depte met het servetje. Alsof ze nooit pech had, verdween de vlek. 'Vooral na mijn laatste vriendje. Hij ging vreemd. Dat geloof je toch niet!'

Rachels ogen werden zo groot als schoteltjes. Hoe kon je Celeste nou bedriegen? Ze was zo mooi, zo talentvol, en zo blond. 'Echt waar?'

'Echt waar.' Celeste zette haar blad naast zich neer en leunde achterover. Haar witte jurkje zag er weer volmaakt wit uit. 'Ik ben er helemaal klaar mee. Jongens leiden je toch alleen maar af van je carrière, en die is veel belangrijker. Wie heeft er tijd voor een of andere jongen als ze haar talent moet ontplooien?'

Rachel kon haar oren niet geloven. Ze zette haar dienblad ook naast zich neer. Het kon haar ineens niet schelen dat Finn een geweldige score gegooid had van halverwege het veld. 'Ik ben het helemaal met je eens.'

'Echt waar?' Celeste keek naar Rachel. Een wederzijds respect was geboren. Misschien waren ze niet zo verschillend.

'Ja!' riep Rachel. Ze trok haar ribfluwelen rokje verder omlaag toen ze zag dat die sukkelige waterdrager van het basketbalteam naar haar staarde. 'Barbra Streisand zou niet zo groot zijn als ze hoteldebotel was geworden van een jongen op de middelbare school. Ze kende haar prioriteiten en ze liet zich op haar weg naar de top door niemand afleiden!'

'Of Edith Piaf,' vervolgde Celeste, en ze speelde met haar zilveren armband. 'Die hield vastberaden vol en duldde het niet als je vreemdging.' Ze bloosde toen ze dat zei, alsof ze nog boos – en gekwetst – was over het feit dat haar vriendje was vreemdgegaan. Rachel kreeg medelijden met haar. Ze wilde haar een knuffel geven. Mannen!

'Ik ben blij dat we partners zijn,' zei Celeste ineens. Ze zag er ontspannen en gelukkig uit. Rachels hart smolt. 'Ik vind je erg aardig, en ik vind McKinley High leuk.'

Rachel straalde. Ze was eraan gewend dat mensen haar bazig noemden, of een neuroot. En ook al beschouwde ze de andere Glee-kids als haar vrienden – althans, de meesten – toch had ze nooit het gevoel dat ze haar begrépen. Ze vonden het altijd idioot dat ze alles zo serieus nam. En hier was Celeste, haar Franse wederhelft op elk gebied: talentvol, gemotiveerd, en best leuk om te zien.

Oké, Celeste zag er extreem goed uit. Maar Rachel wist dat zij ook best haar momenten had, ook al viel het niemand op.

Rachel keek naar het blad met het halflege bord Indiaas eten. Finn en de basketbaljongens waren de bal aan het overgooien. Zijn haar was nat van het zweet, maar hij was nog steeds erg aantrekkelijk voor haar. Wat Celeste 'sullig' vond, vond Rachel meer 'jongensachtige charme'. Ze haalde diep adem. Ergens wenste ze dat ze de hele dag naar Finn kon kijken.

Maar wat had ze daaraan? Hij zag haar niet zitten als vriendinnetje en als Rachel daarover in bleef zitten, werd ze afgeleid van haar werkelijke doel. Ze duwde Finn uit haar gedachten. 'Ik denk dat het muzieklokaal nu leeg is, heb je zin om even snel te oefenen?'

Rachel was niet verbaasd dat Celeste een gilletje van opwinding slaakte. 'Ja natuurlijk. Kom, we gaan.' Ze wás tenslotte de Franse Rachel.

Het zag ernaar uit dat dit het begin was van een mooie vriendschap.

20

Gang van McKinley High, donderdagmiddag

Rachel huppelde door de gang op weg naar algebra, haar laatste les van die dag. Ze had net erg goed met Celeste gerepeteerd; als ze met zijn tweetjes waren, was Celeste ineens minder bedreigend. Misschien kwam het omdat Rachel wist dat Celeste niks in Finn zag. Goed, ze had een ongelofelijk mooie stem en een gezicht dat ongetwijfeld ook nog eens belachelijk fotogeniek was. Toch voelde Rachel zich een stuk veiliger, vooral omdat Celeste over een paar dagen toch weer zou vertrekken. Rachel zou haar misschien zelfs wel missen.

Hoe dan ook, Rachels staatskundeles was voorbij gevlogen en Rachel had nauwelijks geluisterd naar meneer Prospero's uitleg over de leer van de scheiding der machten. Ze vond het ook niet eens erg om wat slijmerige propjes langs haar oren te horen suizen; de jocks op de achterste rij konden er zoveel gooien als ze maar wilden (ze konden toch niet mikken), want Rachel was te veel op de toekomst gericht om zich uit het veld te laten slaan door een paar propjes papier met spuug. En die toekomst zag er zonnig, nee zelfs stralend uit.

Rachels goede humeur was in één klap over toen ze na de les drie bekende meisjes in de richting van de achteruitgang van de school zag lopen, terwijl ze hun dikke winterjas aandeden. Haar dikke algebraboek als beschermend schild voor zich houdend, slaagde Rachel erin om door de gang te rennen en bij de glazen deuren aan te komen voordat de meisjes vertrokken waren. Een paar leerlingen keken haar nieuwsgierig na terwijl ze tussen de mensen door door de gang racete.

'Waar gaan jullie heen?' vroeg Rachel. Ze staarde Quinn, Santana en Brittany dreigend aan. Om de een of andere reden voelde ze zich veel sterker dan vroeger. Misschien kwam het omdat ze inzag dat Celeste geen vijand was en dat er nog meer meisjes waren die hun carrière net zo serieus namen als zij.

'We gaan *lattes* halen, met magere melk.' Brittany ritste haar jas dicht over een blonde haarlok. 'Au!' ze probeerde de rits omlaag te krijgen, maar hij zat vast. Santana zuchtte geïrriteerd en boog zich naar voren om haar te helpen.

Quinn pakte haar autosleutels uit de zak van haar donkerblauwe mariniersjas. In de grote koperen knopen waren ankers gekerfd. En ook al kreeg ze de jas niet meer dicht door haar opbollende buik, toch bleef Quinn eruitzien als een op en top keurige dame. 'Wij hoeven ons niet bij jou te verantwoorden.'

Rachel wilde haar vuistdikke algebraboek naar een van hun hoofden gooien – het liefst naar Quinns hoofd – maar ze hield het stevig tegen haar borst. 'We hadden toch een deal? Jullie waren vanmorgen niet bij de Glee-repetities en dat is in strijd met onze afspraak. De enige reden waarom ik niet meteen naar rector Figgins ben gegaan om jullie aan te geven, is omdat Glee jullie nodig heeft. Maar jullie geven geen moer om Glee.'

Quinn haalde kalm een paar lichtbruine leren handschoenen uit haar rugzak en stak haar lange slanke handen erin. Ze zag er, als altijd, elegant en chic uit. Daarmee vergeleken was Rachel net een verwend kind dat stond te dreigen dat ze ging klikken. 'Je bent blijkbaar vergeten dat je niet met Finn mocht praten.'

'En gisteren, tijdens de repetitie, was je niet bij hem weg te slaan, net als een bijtje.' Santana wikkelde een sjaal om haar nek. 'Een opdringerig, zoemend bijtje.'

Quinn glimlachte. Ze zag er lief en eerlijk uit, en had een gezicht dat op de cover van een tijdschrift kon, zo mooi, maar elke keer dat ze haar mond opendeed, kwam er iets gemeens uit. 'Een duidelijke schending van jouw deel in de afspraak.'

Rachel stond te blozen. Ze deed een stap naar achteren. Het was alsof ze ogen in hun achterhoofd hadden, onder die perfect dansende paardenstaarten. 'Dat is belachelijk! Ik stelde hem een vraag... over Celestes carrière!'

'Een deal is een deal, en jij hebt hem gebroken.' Santana bracht een roze lipgloss op haar lippen aan die een glanzende roze gloed achterliet. 'Maar ik smacht naar cafeïne, dus we gaan.'

Zonder Rachel nog een blik waardig te gunnen gingen de drie meisjes zo snel als ze konden de kou in. Het sneeuwde hard en voordat ze drie meter verder waren, kon Rachel hen al niet meer zien. Niet dat het hun iets kon schelen. Ze dachten dat ze zo belangrijk waren voor de school dat ze alles konden maken. Wat een trutten. Ze had beter moeten weten. Er viel gewoon niet mee te praten. Het was dom van Rachel om te geloven dat de meisjes zich aan de afspraak gingen houden. Ze wilde gewoon dat Glee een succes werd. Daar was het nu te laat voor.

Ze voelde zich dan ook helemaal niet schuldig toen ze voorbij het algebralokaal huppelde en recht op het kantoor van de rector afstevende. Het kon hém wel schelen.

Rachel zat zo te broeden op wat ze ging zeggen tegen Figgins dat ze bijna langs de glazen wand van het kantoor van de decaan liep zonder de blonde krullen te herkennen in de stoel tegenover mevrouw Pillsbury's bureau. Bijna. Maar ondanks haar vastberadenheid om direct te klikken dat Quinn en de Cheerios aan het spijbelen waren, kon Rachel haar aangeboren nieuwsgierigheid niet bedwingen. Ze bleef staan.

Die blonde krullen waren natuurlijk van Celeste, haar nieuwe partner, die zat te praten met mevrouw Pillsbury. De decaan droeg een donkerblauwe bloes met witte stippen en een heel klein strikje in haar hals en ze knikte en luisterde aandachtig naar wat Celeste met veel gebaren verkondigde. Een fles Glassex en een rol keukenpapier stonden paraat op de hoek van haar bureau. Rachel overwoog even om haar oor tegen het raam te leggen om te kijken of ze kon afluisteren, maar ze wist dat mevrouw Pillsbury er moeite mee had als je haar glazen ruit aanraakte. Waar had Celeste in godsnaam advies van een decaan voor nodig? Ze zat niet eens op deze school. Heel vreemd.

Maar Rachel had veel belangrijkere dingen aan haar hoofd. Ze was op een missie om Quinn en de Cheerios te straffen voor hun ontrouw. De rest kon wachten.

21

Aula, Cheerios-repetitie, donderdag na schooltijd

'Kom op, meisjes, ik heb morfineverslaafde luiwammesen gezien met meer peper in hun reet. Doe eens je best!' loeide Coach Sylvester door haar rode megafoon. De Cheerios oefenden in de aula voor de Multiculturele Show en de woorden van Coach Sylvester weerkaatsten dreigend tegen de akoestische tapijttegels op de muren. Coach Sylvester had altijd een krankzinnige glans in haar ogen als ze coachte.

De Cheerios begonnen de dansroutine van voren af aan, deze keer met meer energie. Ze droegen hun smetteloze rood-witte Cheerios-pakjes en hun routine zag er super-Amerikaans uit, ook al moesten ze dansen op een belachelijk snelle versie van 'It's a Small World' met een technobeat.

'Wat levendiger, deze keer!' De dansroutine was technisch ingewikkeld maar zag er nogal oppervlakkig uit. Het waren eigenlijk een serie sexy robotachtige bewegingen. Zoals te verwachten was, had Sue Sylvester niets begrepen van het doel van de Multiculturele Show en de Multiculturele Week, die ontwikkeld waren om culturen te eren en verschillen te erkennen, en om beter wederzijds begrip en de eenheid van de wereldvolkeren te bevorderen. 'Dames, vergeet niet dat ik dit nummer heb gekozen omdat er maar één wereld is waar iedereen vriendjes met elkaar is, en dat is de wereld waar iedereen van plastic is en in glitterkleren rondloopt. En nu zweten, stelletje talentloze tienerzombies!'

Ze werd gewoon misselijk van het politiek correcte gezever dat achter de Multiculturele Show zat en was van plan om dat duidelijk te maken met de Cheerios. Ze had een ironische, opgefokte routine gechoreografeerd waarmee ze aan iedereen zou bewijzen dat het belachelijk is om culturele eenheid na te streven.

Coach Sylvester had de routine pas de dag ervoor in elkaar geflanst maar haar Cheerios waren zulke goede performers – die zo doodsbang voor hun coach waren en tegelijkertijd bereid waren om voor haar door het vuur te gaan, wat precies haar opzet was – dat ze het makkelijk in een paar repetities voor elkaar konden krijgen. En met Santana en Brittany in de hoofdrol kon het niet misgaan. Ze had haar twee beste atleten de moeilijkste onderdelen gegeven.

Achter in de aula stak Will Schuester zijn hoofd om de hoek van de deur. Hij wilde Sue Sylvester niet bespioneren – ze had hem er herhaaldelijk van beschuldigd – maar hij zocht een paar meisjes die hadden gespijbeld bij de Glee-repetitie. De spijbelaars waren, heel toevallig, allebei Cheerios.

Zoals hij vermoedde zag hij Santana en Brittany in het middelpunt van de choreografie op het podium. Will Schuester haalde diep adem. Hij was even weggelopen van de repetitie om ze te zoeken en dat was niet moeilijk geweest. Het gebonk van het Cheerios-nummer in de aula was door de gangen van de hele school te horen. En ook al had hij ergens wel verwacht dat de meisjes bij Coach Sylvester waren, toch was hij gekwetst. De meisjes wisten hoe hard de Glee Club extra geld nodig had en hoe belangrijk een goed optreden was tijdens de Multiculturele Show. En toch, hier waren Santana en Brittany, met de Cheerios, die meer geld hadden dan koning Midas. En erger nog, ze hadden hem niet eens verteld dat ze niet meer meededen met het Glee-nummer.

Will Schuester vond het nog steeds moeilijk om contact te krijgen met de Cheerios. Hij wist dat ze Glee leuk vonden, ook al waren ze te arrogant om dat toe te geven. Maar hij wist ook dat Coach Sylvester absolute trouw van haar team eiste. Hij vond het vreselijk om een leerling zo voor het blok te zetten, maar ze moesten leren dat je verantwoording moet afleggen als je je verplichtingen niet nakomt.

Meneer Schuester liep het gangpad af in de richting van

het podium. Sue Sylvester zat midden in de aula en blies boos op haar fluitje toen ze hem dichterbij zag komen.

'Is er iets, William?' bulderde Coach Sylvester door haar megafoon. 'We zijn aan het repeteren en je vette pruik ruikt verraderlijk veel naar camembert. Het is walgelijk, en mijn atleten kunnen niet goed ademen.'

Will Schuester keek haar even aan. Haar banaangele trainingspak was oogverblindend fel. 'Ik wil alleen aan een paar van mijn Glee Club-leden vragen of ze nog komen repeteren.'

Sue Sylvester wilde bijna iets zeggen om hem op zijn nummer te zetten, maar ze besefte dat het veel leuker was als de meisjes dat zelf deden. Ze wuifde met haar megafoon in de richting van Santana om aan te geven dat ze antwoord mocht geven.

Santana stapte onwillig naar voren. Ze veegde met de rug van haar hand een zweetdruppel van haar voorhoofd. Het was bloedheet onder al die lampen op het podium, die van Coach Sylvester aan moesten om de meisjes wat harder te maken. Waar dacht meneer Schuester dat hij mee bezig was? Dacht hij nou echt dat hij zomaar de Cheerios-repetitie kon binnenstormen en kon eisen dat ze mee kwamen naar de Glee Club? Wist hij dan niet wie ze waren? Santana, het nieuwe hoofd van de cheerleaders, kon onmogelijk instemmen met meneer Schuester waar al haar cheerleadervriendinnen bij waren. Dat was net zo erg als toegeven dat ze het eigenlijk haatte om dat uniform elke dag naar school aan te doen, ook al maakte ze daarmee duidelijk dat ze een speciale behandeling verdiende op school. 'Het spijt me, meneer Schuester.' Ze zette haar handen in haar zij. Ze vond het best rot voor hem dat hij midden in de aula moest staan terwijl vierentwintig meisjes hem aangaapten. 'Maar ik kan de Cheerios niet in de steek laten.'

'Ik ook niet,' zei Brittany snel.

Meneer Schuester haalde diep adem. Hij besefte, te laat, dat het niet slim was om de meisjes in het openbaar te confronteren, met al hun vriendinnen erbij als ooggetuige. Deze meisjes namen hun positie boven op de apenrots van McKinley High zo ontzettend serieus. Natuurlijk kon hij niet van hen verlangen om die plaats op te geven voor de lagerdanlage Glee Club. 'Jammer, meisjes.' Will deed een stap naar achteren en zwaaide met zijn hand, om aan te geven dat het al goed was. 'We zullen jullie zeker missen. Jullie zijn altijd welkom als je weer mee wilt doen.'

Santana beet op haar lip. Als ze had gespijbeld tijdens de Cheerios-repetitie om bij de Glee-repetitie te kunnen zijn, was ze zo goed als dood geweest voor Coach Sylvester. Arme meneer Schuester. Hij was best wel een aardige vent, ook al was hij een beetje een oen.

Maar toch. Ze kon er nu echt niets aan doen. 'Dat zal ik onthouden,' zei ze nuffig. Ze voelde de ogen van Coach Sylvester in haar boren, op zoek naar een teken van zwakte.

Op de terugweg bleef Will even bij Sue Sylvester staan. In dat polyester trainingspak slaagde zij erin om er net zo intimiderend uit te zien als een marinier in uniform. 'Sue, je bent een gemene treiteraar.'

'Beledigend.' Sue schudde langzaam met haar hoofd. 'Als ik niet zo druk was met lachen om die schuurspons op je hoofd, zou ik overwegen om je erop te wijzen dat treiteraars meestal schreeuwen en pesten omdat ze hun onzekerheden willen verbergen. Ik heb helemaal geen onzekerheden te verbergen.' Ze wees naar hem en praatte zachter. 'En ik denk niet dat het zin heeft om te wachten tot mijn meisjes teruggaan naar Glee. Het is onmogelijk, zo niet onmenselijk, om te verlangen dat ze tijd doorbrengen met jouw groep artistiekerige slappelingen, terwijl zij de fysieke perfectie van mijn Cheerios-team zíjn.'

Will Schuester wist dat het geen zin had om te proberen het laatste woord te hebben, dus schudde hij alleen maar met zijn hoofd en draaide haar de rug toe. Hij wist dat de Glee Club ook zonder de Cheerios een mooi optreden kon verzorgen, ook al betekende dit dat ze iets harder moesten werken.

En wanneer was dat ooit een probleem geweest?

151

22

Parkeerterrein, donderdag na schooltijd

In de winter waren de dagen in Lima zo kort dat het al pik-kedonker was tegen de tijd dat de repetities afgelopen waren. Niet dat Quinn naar een repetitie was geweest. Na het laatste uur was ze zo moe geweest dat ze naar de meest knusse plek van de school was gegaan – de bibliotheek – om de tijd te doden voordat de Glee-repetitie begon. Ze was per ongeluk in slaap gevallen tussen de stoffige, stukgelezen exemplaren van *The Scarlet Letter* – de roman die onbedoeld seksuele voorlichting aan vele generaties meisjes had gegeven. Een uur later was ze wakker geworden met een natte kwijlplek op de mouw van haar mooiste blauwe trui. Ook al was er geen deal meer met Rachel, toch was Quinn van plan geweest om te repeteren. Ze had inmiddels het gevoel dat ze bijna helemaal de grip over haar leven verloren had en zingen leidde haar af van alle stress. Maar de laatste tijd sliep ze slecht en ze had duidelijk een dutje nodig. Slaperig raapte ze haar spullen bij elkaar en liep naar buiten. De ijskoude lucht die in haar gezicht blies toen ze door de zijingang naar buiten liep, voelde zo lekker aan dat ze blij was dat ze haar jas niet meer dicht kon knopen. Haar haar, een beetje zweterig na het dutje in de oververhitte bibliotheek, bevroor onmiddellijk in stijve pegels. Een paar tellen later kwam Santana door de deuren naar buiten. Ze rilde. Santana had praktisch negatief lichaamsvet dus probeerde ze haar rode Cheerios-jas zo dicht mogelijk om zich heen te trekken en propte ze haar blote handen in de zakken.

'Hoi, Q. Wat trek je morgen aan naar het feestje?' vroeg Santana. Ze stampte met haar voeten om ze warm te houden en gleed bijna uit op het ijs dat op de stoep lag. Het zout dat gestrooid was om het ijs te laten smelten, had duidelijk niet geholpen. 'Het moet er niet uitzien alsof we hebben afgesproken wat we aandoen, maar we moeten wel afspreken wat we aandoen.' Quinn was van plan om naar het feest te gaan. Ze was dan wel geen Cheerio meer, maar dat betekende toch niet dat ze geen recht had op een sociaal leven, of wel soms?

Quinn keek vlug rond op het parkeerterrein van de leerlingen. Finns verrotte auto stond er nog. Die liep vast nog kwijlend achter die Celeste-hoer aan op de Glee-repetitie. Quinn wist dat zij niets meer kon zeggen over Finns meisjes, maar het was nogal gênant om te zien hoe hij tot over zijn oren verliefd was geworden op een Franse trut die hij vijf minuten kende. Het Cheerios-netwerk was een roddelnetwerk en ze had de afgelopen dagen ontelbaar vaak moeten aanhoren hoe Finn zo ongeveer de kwijl van zijn mond moest vegen als hij met Celeste praatte. Ze zeiden dat hij bij de basketbaltraining vijf push-ups had gedaan terwijl ze op zijn rug zat. Gadver. Vreselijk gênant. In slaap vallen had dan in elk geval het bijkomende voordeel dat ze die middag niet weer dat geflirt had hoeven aanzien.

'Wat zei je?' vroeg Quinn toen ze na een tijdje besefte dat het haar beurt was om iets te zeggen.

Santana rolde met haar ogen. Dat deed ze zo vaak dat Quinn zich weleens afvroeg of ze haar oogzenuwen daarmee kon beschadigen. 'Je bent er duidelijk niet bij met je hoofd. Ik bel je vanavond,' zei Santana en ze jogde naar de rode cabriolet die ze af en toe van haar moeder mocht lenen.

Quinn gaf Santana meestal een lift naar huis maar ze was blij dat ze dat deze keer niet hoefde te doen. Ze was echt niet in de stemming om te praten over haar ex, en hoe hij er helemaal klaar voor was om de naam van een of andere Franse slet op zijn voorhoofd te laten tatoeëren, terwijl Quinn ondertussen steeds maar dikker werd, net als dat meisje in *Sjakie en de chocoladefabriek*.

'Doei.' Het lukte Quinn maar half om naar Santana te

zwaaien. Ze had iets veel interessanters gezien. Puck liep naar zijn zwarte auto, zoals altijd met zijn bekende loopje, ijs of geen ijs. Als ze haar ego wilde opkrikken, kon ze op Puck rekenen. Hij was een en al libido en gaf haar altijd een enorme opkikker. Ze hadden niet één keer gezoend sinds hun korte geheime verhouding in de herfst (waar ze zwanger van was geworden) en toch bleef Puck met haar flirten. Ze liep naar zijn auto zodat ze er verleidelijk tegenaan leunde tegen de tijd dat hij er was. Ze had haar armen over elkaar geslagen en zelfs de chocoladepepermuntlipgloss opgedaan waar Puck zo'n zin in ijs van kreeg.

'Heb je me gemist bij de repetitie?' vroeg ze uitdagend. Ze wist bijna zeker dat Puck alleen maar lid was geworden van de Glee Club om naar lekkere meisjes te kunnen kijken. Hij had een ontzettend sexy stem, maar hij zat niet in de club om zijn stem te ontwikkelen. Hij vond het gewoon leuk om te zien hoe Cheerios-rokjes omhoog waaiden als ze dansten.

'O, was je er niet?' zei Puck afwezig. Hij keek achterom naar de deur, alsof hij op iemand wachtte. Hij droeg zijn collegejack. Op de mouwen zaten badges voor football, basketbal en honkbal.

Quinn kreeg het ineens koud en ze probeerde haar jas dicht te trekken over haar buik. Wat was er aan de hand met Puck? Stonk ze naar zweterige bieb en stoffige boeken? Dat kon niet, ze had net nog haar poederzachte deo opgedaan toen ze haar gezicht nat had gemaakt in de meisjes-wc's voordat ze naar buiten ging. En trouwens, Puck géílde op de geur van haar zweet, het was een soort afrodisiacum voor hem en meestal was hij er heel gevoelig voor.

'Heb je het dan niet gemerkt?' vroeg ze met een pruillip. Je kon haar adem zien in de koude lucht. Misschien deed hij gewoon moeilijk, zodat ze meer haar best zou doen. Hij vond het ook altijd leuk om haar een beetje te stangen.

Eindelijk glimlachte Puck. Hij had een scheve grijns die haar moeder duivelachtig zou hebben gevonden, als ze hem ooit zou hebben ontmoet. Maar Quinn wist wel beter dan

Puck aan haar ouders voor te stellen. 'Ik was een beetje af-geleid.'

Quinn trok aan het handvat van Pucks portier. Als ze wilde, kon ze naar voren buigen en hem zoenen. Maar dat wilde ze niet. Nog niet. 'Ga je morgen naar het Basketbal-Cheerios feestje?'

Puck knikte en zwaaide zijn sleutels om zijn wijsvinger. 'Natuurlijk. Daar moet je bij zijn.'

Ze sloeg haar armen over elkaar. 'Mooi. Ik heb een nieuw jurkje gekocht.' Ze keek hem aan door haar lange donkere wimpers, iets waar hij meestal als een blok voor viel. Elke avond bad ze tot God en dankte ze hem voor haar dikke wimpers. Ze had medelijden met meisjes die het alleen met mascara moesten doen.

Er gebeurde iets vreemds. Puck... lachte! 'Ik weet zeker dat je er lekker uitziet morgen, prinses, maar ik heb andere plannen en zij heet Rielle.' Puck stapte naar voren en ook al duwde hij haar niet weg, het was duidelijk dat hij verwacht-te dat Quinn opzij zou gaan. Ze deed snel een stap opzij, haar sneakers gleden over het asfalt. Puck deed het portier open en stapte in zijn auto. 'Als het niet lukt met Rielle, mag je wel mijn tweede plan zijn.' Puck vond het niet zo erg om Quinn af te wijzen. Ze had duidelijk uitgelegd dat ze hem een 'Lima Loser' vond toen hij een goede papa wilde zijn voor hun baby. Ze wilde hem vast alleen maar hebben omdat ze jaloers was op Rielle. Meisjes deden de hele tijd dat soort rare dingen.

'Ik doe niet aan plan twee,' zei Quinn, maar hij had de motor al gestart en trok het portier dicht. Hij reed zonder te kijken achteruit, wat boekdelen sprak over zijn rijstijl. Hij gaf haar een irritante knipoog en reed weg.

Quinn wist bijna zeker dat haar gezicht paars was. Ze was woest. De meeste jongens zouden een moord plegen om een kans te maken met haar en nog níémand had haar afgewe-zen. Gelukkig had niemand deze vernedering gezien. Afge-wezen door Puck, de grootste manhoer in de omgeving? De váder van de baby in haar buik? Hoe zat het dan met hun onweerstaanbare aantrekkingskracht?

Terwijl ze bedacht hoe ze deze deuk in haar zelfvertrouwen kon repareren, zag ze iemand op een bankje bij de school over een schrift gebogen zitten. Het was die sombere Jean-Paul van de Franse Glee Club. Quinn bekeek hem eens goed. Hij was best leuk om te zien, zoals *Edward Scissorhands* leuk was, maar hij leek zo somber, buiten in de kou, druk schrijvend in zijn schriftje. Jakkes, dat was zo Frans en zo maf.

Maar dat betekende niet dat hij geen nut had.

Quinn liep op hem af. Haar sneakers gleden een paar keer uit op het ijs. Hoe dichterbij ze kwam, hoe perfecter haar plan leek. Ze was gek van jaloezie geweest over Finns gekwijl op dat Franse sletje, en nu ging Puck ook al de Europese kant op. (Wacht maar tot hij ontdekte dat ze hun benen en oksels niet schoren.) Ze ging die jongens een koekje van eigen deeg geven, door te kijken hoe leuk zíj het vonden als zij met een Franse jongen uitging in plaats van met hen.

'Jean-Paul, toch?' zei Quinn toen ze voor zijn neus stond. Ze gaf hem de '1.000 watt Quinn Fabray'-glimlach, ook al kon ze zich niet voorstellen dat het moeilijk was om de aandacht te krijgen van déze jongen.

Jean-Paul keek op van zijn schrift. Hij leek niet bepaald blij om Quinn te zien, maar ook niet geërgerd. Hij leek een beetje nieuwsgierig. Dat was genoeg voor Quinn.

'Jij heet... Quinn?' vroeg hij, en hij sprak het uit als 'queen'. Hij had een verrassend lage stem. Zijn Franse accent was eigenlijk best sexy.

En ze vond het wel leuk als hij haar queen noemde. 'Heb je plannen voor morgenavond?' vroeg ze, ook al was het een maffe vraag. Wat voor plannen kon een gastleerling uit Frankrijk nou hebben?

Jean-Paul schudde zijn hoofd. Een man van weinig woorden: perfect.

'Nu heb je wel plannen. Je gaat met mij naar een feestje.

156

Goed?' Haar 'goed' zei ze uit beleefdheid, het was duidelijk geen vraag, maar een bevel. Ze nam hem mee naar een van de grote sociale evenementen van de winter en hij mocht gepast dankbaar zijn. Wie wilde er nou niet met Quinn Fabray naar een feestje? Behalve Finn en Puck dan, blijkbaar.

Een klein glimpje belangstelling lichtte op in Jean-Pauls grijsblauwe ogen. 'Is dat het feest waar Finn naartoe gaat? Die basketbaljongen?'

Quinn knipperde met haar ogen. Wat een rare vraag. 'Ja.' Misschien was hij verliefd op Finn. Misschien kon hij met Kurt een fanclub oprichten. Wat maakte het uit. Hij was lang en best knap en hij was handig.

Jean-Paul knikte. Hij propte zijn schrift in zijn leren koerierstas. Quinn hoopte dat hij niet zou denken dat ze hem nu een lift ging geven naar zijn hotel, alleen omdat ze hem voor een feestje had uitgenodigd. Ze was geen chauffeur. 'Goed. Ik kom.'

'Perfect.' Eindelijk ging er iets goed. Puck was niet de enige die wist hoe je een noodplan moest maken.

Engelse les van meneer Horn, vrijdag

Artie zat aan zijn tafel in het lokaal van meneer Horn, de leraar Engels, en trommelde met zijn vingers tegen de spaken van zijn wielen. Hij was rond middernacht vol energie wakker geworden van een droom, een heel leuke waarin hij basketbalde en Tina hem aanmoedigde vanaf de tribune. Hij had een geweldig idee voor een paar nieuwe regels tekst voor Rielle, knipte het lampje aan op zijn nachtkastje en greep naar het schrift dat hij altijd naast zijn bed had liggen (hij kreeg vaker inspiratie van zijn dromen en schreef dan meteen zijn ideeën op). Hij was nog niet helemaal wakker en had daardoor pas na een paar minuten door dat hij de teksten voor Rielle helemaal niet in het schriftje had geschreven, ze stonden in zijn Éngelse schrift. Hetzelfde schrift dat hij aan Puck had uitgeleend.

Artie was de hele ochtend misselijk van de stress geweest. Puck zou natuurlijk de tekst gelezen hebben en weten wat Artie voor Rielle voelde. Artie kon zichzelf wel voor zijn kop slaan. Wat een stomme sukkel was hij. Hij was ook zo afgeleid toen hij dat schrift aan Puck gaf en was alleen maar bezig geweest met een goede indruk maken op Rielle. En daarna had hij het zo druk gehad, met de repetities en een speciale AudioVideo Club-bijeenkomst waar ze hadden besproken hoe ze de Multiculturele Show zaterdag gingen opnemen. 's Avonds was hij met zijn ouders uit eten geweest in El Camino, het Mexicaanse restaurant bij hen om de hoek, om te vieren dat zijn moeder een project op haar werk had afgerond. Daarna had Artie voordat hij ging slapen zijn opstel voor Engels nog nagekeken. (Hij had het opstel al veel eerder geschreven, toen hij het to-

neelstuk net uit had. Hij was op de toekomst voorbereid –
oké?)

Vlak voordat de bel ging kwam Puck het lokaal in. Hij
droeg gescheurde jeans en een strak zwart thermo-T-shirt en
zijn mohawk was wat lang en wild. Hij zag er niet bepaald
uit als het soort jongen dat zijn huiswerk inlevert. En daarom was het erg verrassend dat hij voor Artie ging zitten en
een stapeltje getypte A4'tjes uit Arties schrift haalde. Hij
hield de A4'tjes vast en liet het schrift – dat eruitzag alsof het
dubbelgevouwen in zijn kontzak had gezeten – op Arties
tafel vallen. De kaft zat vol vetvlekken, alsof hij een salami-
pizza had zitten eten terwijl hij de aantekeningen las.

'Bedankt, man.' Puck greep Artie bij zijn das en trok eraan
bij wijze van stoer-vriendschappelijke dankbetuiging. Artie
stikte bijna. 'Ik heb echt wat aan je aantekeningen gehad.'

'Hoor ik dat goed, meneer Puckerman?' Meneer Horn bleef
staan naast Pucks tafel. 'Zei je dat je je huiswerk af had? Op
tijd?'

Puck gaf een geniet stapeltje papieren aan meneer Horn.
'Kijk maar eens, meneer Horn.' Hij keek achterom naar Artie
en knipoogde.

'Ik kan het niet geloven.' Meneer Horn gebruikte Pucks
opstel als waaier, alsof hij moest bijkomen van een flauwte.
'Misschien kun jij daar de volgende keer een voorbeeld aan
nemen, Brittany.'

Brittany staarde naar haar lege tafelblad. 'Ik heb echt geprobeerd om een opstel te schrijven, maar ik moest het eek-
hoorntje bij mijn slaapkamerraam helpen zoeken naar beu-
kennootjes.'

Normaal gesproken zou Artie om zo'n gesprek hebben ge-
lachen, maar hij bladerde als een bezetene door het schrift
dat Puck net had teruggegeven en hoorde niets. Hij hoopte
dat Puck de songteksten niet had opgemerkt omdat hij het te
druk had gehad met overschrijven. Artie wist bijna zeker dat
Puck zijn aantekeningen gewoon had overgeschreven, maar
dan met meer fouten. Hij kon amper lezen, toch?

Maar nadat hij een paar keer tevergeefs in zijn schrift had gebladerd, kwam hij midden in het schrift een paar lege bladzijden tegen waar wat kleine stukjes gescheurd papier in de vouw vastzaten. Van die stukjes die achterblijven als je een paar bladzijden uit een schrift scheurt.

Hij kreeg een misselijkmakend gevoel in zijn buik. Puck had niet alleen zijn songteksten gelezen, hij had ze ook gejat? Waarom zou hij dat doen? Hij kon zich voorstellen dat Puck sigaretten jatte in winkels, en zag hem zelfs een auto kraken op een parkeerterrein, maar songteksten uit iemands schrift? Artie wist dat Puck nooit nadacht, maar songteksten jatten was gewoon wreed.

Artie boog zich voorover en zat met zijn hoofd in zijn handen. Hij had zo hard gewerkt aan die teksten om indruk te maken op Rielle en nu moest hij haar toch teleurstellen. Ze zou denken dat hij net als alle andere jongens was, die van alles beloofden zodat ze bij haar konden scoren, maar nooit iets waarmaakten.

Woedend prikte hij met zijn potlood in Pucks schouder. Met de punt. Puck schrok wakker.

'Wat is er gebeurd met de andere dingen die erin stonden?' vroeg Artie dwingend. Hij schoof zijn dikke zwarte brilmontuur naar boven. 'De songteksten die ik geschreven heb?'

'O.' Pucks knappe gezicht kreeg een schaapachtige uitdrukking, alsof hij betrapt was op het stelen van een cakeje. Hij schoof ongemakkelijk heen en weer op zijn stoel. 'Ik heb ze geleend. Je weet wel, om indruk op een meisje te maken.'

'Wat?' beet Artie hem toe. Hij voelde zich meestal schuldig als hij tijdens de uitleg van een docent praatte, maar dit was een noodgeval.

'Nou ja. Ik las over Cyrano de Berg… Bergerac, of hoe hij ook heet, in je aantekeningen en kreeg een idee.' Hij haalde zijn schouders op. Ze waren belachelijk goed gespierd.

'Heb je het toneelstuk echt gelezen, dan?' Artie was even verbijsterd.

'Nee, alleen je aantekeningen,' gaf Puck toe. Hij stak de dop

van zijn Bic in zijn mond. Artie had ooit gelezen dat duizen-
den mensen per jaar stierven omdat ze de doppen per ongeluk inslikten. Niet dat hij wenste dat Puck zou stikken, maar
een klein beetje zou geen kwaad kunnen. 'Ik zag je songteksten, en ik dacht dat ik gewoon, je weet wel, een Cyrano-
actie kon doen voor Rielle.'

Rielle? Artie zette zijn bril af en legde hem voorzichtig neer
op zijn tafel. Hij wreef in zijn ogen. Natuurlijk had Puck de
songteksten gebruikt om indruk te maken op Rielle en niet
op een van de vele leeghoofden voor wie hij normaal gesproken ging. En natuurlijk was de betekenis van *Cyrano de
Bergerac* – het enige personage waar ze ooit over hadden gelezen bij Engels met wie Artie een persoonlijke band voelde
omdat hij een lichamelijk gebrek had – misbruikt door Puck.
Puck jatte de woorden van een slimmere dichter om de liefde
te winnen van het meisje dat ze allebei begeerden. Net als die
knappe domme Christian in het toneelstuk.

Artie was totaal en volledig uit het veld geslagen. Voorzichtig zette hij zijn bril weer op.

'Misschien helpt het als ik zeg dat je songteksten echt gruwelijk waren.' Puck keek nog steeds een beetje schuldig, maar
aan de tevreden grijns op zijn gezicht kon je zien dat hij vond
dat hij het waard was. 'Rielle vond ze echt te gek. Ze gaat
zelfs met me naar het Basketbal-Cheerios feest vanavond.'

Puck stak zijn hand omhoog om een high five te ontvangen.

Artie staarde hem aan. Als brillen beslagen konden raken
van woede, zou zijn bril beslagen zijn geweest. 'Dat meen je
niet.'

'Niks aan de hand, man.' Puck wreef over zijn kin. 'Ik sta
gewoon weer bij je in het krijt. De volgende keer dat iemand
een slushie over je hoofd gooit, geef ik je wel wat servetjes.'

Misschien is er voor jóú niks aan de hand, dacht Artie. Het
ergste was niet eens dat hij Rielle niet zou krijgen. Hij wist
toch wel dat het hem nooit zou lukken om haar voor hem te
winnen. Hoe romantisch hij ook was, uiteindelijk was Artie
een pragmaticus. Maar hij kon gewoon niet toestaan dat

Puck met de eer van zijn werk ging strijken; Puck, die het stoer vond dat hij de afgelopen twee jaar geen boek had aangeraakt.

Er moest een manier zijn waarop Artie aan Rielle duidelijk kon maken dat hij de songteksten geschreven had, ook al veranderde dat niet wat ze voor hem zou voelen. Ze mocht gewoon niet denken dat Puck een ziel had terwijl hij die overduidelijk niet had.

24

Het huis van Luke Wainwright, vrijdagavond

Het Basketbal-Cheerios feestje werd niet officieel gedoogd omdat Coach Sylvester feestjes op privélocaties nooit goedkeurde, maar ze moedigde het wel aan dat haar welgevormde Cheerios optrokken met atletisch gebouwde jongens. De gelukkige gastheer van het feest die vrijdagavond was Luke Wainwright. Hij was een onopvallende basketbalspeler die vooral op de bank zat bij wedstrijden, maar een keer per jaar, als zijn ouders naar hun jaarlijkse skitrip op de Poconos vertrokken, kreeg Luke sterstatus. Naast ouders die bereid waren om hem alleen thuis te laten, beschikte Luke over een oudere broer die op Ohio State University zat en er geen enkele moeite mee had om dat weekend naar huis te komen en zijn broer van illegaal bier te voorzien, onder de voorwaarde dat Luke hem zou voorstellen aan een paar lekkere tienermeisjes.

Het huis van de Wainwrights stond aan het eind van een lange, afgelegen oprit. Ze hadden heel weinig buren. Die avond stond de oprit helemaal vol auto's en van buitenaf zag het eruit alsof alle lampen in het hele huis brandden. Je kon de beat van de stereo een halve kilometer verderop al horen. Het was handig dat er weinig buren konden klagen, want dan was er ook minder kans dat de politie onverwacht het feest zou komen verstoren.

Finn kwam de oprit opgereden en parkeerde zijn auto tussen een berg sneeuw en een Mustang waarvan de lichten aanstonden. 'Ik doe het portier wel voor je open,' zei hij tegen Celeste, terwijl hij zo snel als hij kon uit de auto stapte en eromheen liep. Hij wilde laten zien dat Amerikanen – wat had Rachel hem ook alweer genoemd, galant? – galant zijn.

Celeste had hem vast niet gehoord, want tegen de tijd dat

hij aan haar kant stond was ze de auto al uit en gooide ze haar portier dicht. 'Bedankt voor de lift,' zei Celeste en ze sloeg haar jas nog dichter om zich heen. Zelfs onder de dikke jas zag ze er mooi uit.

Waarom zegt ze dat? dacht Finn. Hij gaf haar toch geen lift? Ze was toch zijn date? Misschien was ze zenuwachtig over haar eerste Amerikaanse feestje, of zo. Hij moest haar helpen te ontspannen. Terwijl ze de trap naar de voordeur op liepen, sloeg Finn een arm over haar schouder. 'Kun je poolen? Luke heeft een vette pooltafel in zijn kelder.'

'Bedoel je biljart?' vroeg Celeste terwijl ze voorzichtig op haar hoge hakken de trap op liep. Zijn arm gleed van haar schouder.

'Eh, dat denk ik wel?' Finn klopte op de deur. Hij hoorde de muziek door de deur bonken maar hij vond het een beetje raar om hem gewoon open te doen en zichzelf binnen te laten.

'In Frankrijk biljart echt niemand behalve oude alcoholisten,' verklaarde Celeste. Haar wangen waren roze van de kou.

'O.' Finn duwde tegen de deur, die niet goed dichtzat, en hij ging piepend open. Keiharde muziek en een stoot hete lucht overspoelden hen direct. Het huis was tot de nok toe gevuld met McKinley High-leerlingen. Terwijl het officieel een Basketbal-Cheerios feestje was, waren andere speciale gasten ook uitgenodigd: mooie meisjes en de jongens uit de bovenbouw die bekendstonden om de feestjes die ze gaven. Lukes broer zat met zijn arm om het middel van een piepjonge Cheerio, die van alles vroeg over footballspelers op de universiteit. Hij had de ijskast volgegooid met bier, maar de meeste Cheerios dronken niet. Ze waren als de dood voor Coach Sylvester, die de neus van een politiehond had voor sporen van alcohol, dat immers verboden was voor jongeren onder de eenentwintig. Als de coach doorhad dat een Cheerio de avond voor een optreden uit de verboden bierfontein had gedronken, zou ze haar uniform afpakken en eigenhandig in de vuilverbrandingsoven gooien.

'Kan ik je jas aannemen?' vroeg Finn aan Celeste, die snel uit haar winterjas gleed. Ze zag er, zoals altijd, supersexy uit, in een glitterend rood hesje en zwarte jeans. Maar ze leek anders dan anders. Stil. Wat was er aan de hand met de meisjes in zijn leven? Eerst wilde Rachel ineens niet meer met hem praten, nu Celeste. 'Ik ga de jassen in de logeerkamer leggen. Ben zo terug.'

'Goed.' Celeste liep al door de menigte naar binnen. Er waren een paar Franse leerlingen – Gerard stond tussen een groep basketbalspelers. Hij stond druk met zijn handen te gebaren en iedereen lachte om hem.

Toen Finn terugkwam zat Celeste op de vensterbank met een blik bier in haar hand. Ze dronk er niet uit. Finn haalde een sportdrankje uit de keuken en ging naast haar zitten. 'Nou, eh, we hebben maandag dus een belangrijke wedstrijd tegen Central Valley High,' probeerde hij. Hij had geen idee waar ze over moesten praten. Het was zo waanzinnig dat hij hier zat met Celeste, die er supersexy uitzag in die kleren. Alle jongens keken jaloers hun kant uit.

En toch was het heel moeilijk om een gesprek te beginnen. Terwijl Finn een slokje uit zijn fles nam, wilde een deel van hem dat hij nu met Rachel zat te kletsen in plaats van met Celeste. Rachel had altijd iets te vertellen, ze had een mening over alles onder de zon. En hij had het gevoel dat hij haar lang niet gesproken had, écht gesproken had.

'Wil je nog iets drinken?' zei Finn uiteindelijk. Hij veegde een pluk haar van zijn voorhoofd en keek naar de menigte. Hij vroeg zich af waar Rachel die avond was. Haar kennende zat ze *A Star is Born* te kijken en sinaasappelsap en gingerale te drinken, voor haar stembanden.

'O ja, graag.' Celeste glimlachte vriendelijk. Ze wilde niet onbeleefd doen tegen de arme Finn, maar ze had het niet echt naar haar zin op dit Amerikaanse feestje. 'Misschien gewoon een glas water?' Amerikaans bier rook naar pis. In Frankrijk dronken ze goede wijn en hoefden ze geen oudere viespeuk met jongere meisjes om te kopen zodat je bier had. De meeste tieners in Frankrijk mochten van hun ouders thuis al wijn proeven of zelfs drinken en niemand deed opgefokt over een glaasje of twee.

In de woonkamer speelde een groep mensen Rock Band op een megagrote flatscreen. Puck en Rielle zaten in de hoek van de kamer op twee zitzakken met luipaardmotief. Rielle droeg een zwart T-shirt en een kort zwart rokje en zat half op haar knieën zodat haar benen bij elkaar bleven. 'Ze zijn vreselijk slecht in dat spel,' zei ze en ze knikte naar de jongens die 'Stairway to Heaven' probeerden te spelen.

Puck schoof naar Rielle toe totdat zijn knieën haar bijna aanraakten. Zijn broek was gescheurd, zodat een blote knie haar knie zou kunnen voelen, maar helaas had ze een zwarte panty aan. Hij zou haar huid wel willen voelen. 'Je moet mee-doen. Laat ze maar een poepie ruiken.'

'Ik ben niet zo goed in *classic rock*.' Rielle glimlachte ver-legen naar Puck. Toen ze de keurig voor haar uitgeschreven songteksten op die vellen papier las was ze totaal verrast. Ze had Puck onderschat, want de songteksten waren waan-zinnig; gevoelig, intelligent, en grappig. Er zaten zelfs Franse woorden tussen! Wie had ooit gedacht dat er iets onder dat gekke kapsel zat. Hoe noemde de rest het nou steeds? Een mohawk?

Ik wil wedden dat je goed bent in andere dingen, dacht Puck stout en hij keek naar haar lippen. Hij vond het best moeilijk om gespreksonderwerpen te vinden en hij wilde dat ze ge-woon vooruit konden spoelen naar de toekomst zodat ze met-een konden overgaan tot zoenen. 'Man, wat is er toch met die jongen aan de hand?' zei Puck en hij keek naar de depressieve Franse gast met die foute paardenstaart. Hij liep tien passen achter Celeste en Finn aan de keuken in. Hij had al de hele avond als een soort stalker in hun buurt rondgehangen.

Rielle keek op. 'O, Jean-Paul? Die is gewoon...'

Het lukte Quinn totaal niet om Puck en Finn jaloers te ma-ken. Zelfs toen ze door de voordeur was binnengekomen in een kort zwart empirejurkje, met kleine vlechtjes in haar losse haar dat perfect over haar schouders golfde, en haar hand op Jean-Pauls arm, hadden ze niet eens opgekeken.

Jean-Paul was, zoals ze had verwacht, een saaie date. Hij had een fles mineraalwater gehaald toen ze daar om vroeg, niet één keer echt gereageerd op wat ze zei en de hele avond om zich heen gekeken naar andere mensen. Hij liep ook de hele tijd achter Finn aan, wat Quinn best vond, want dan zou Finn onvermijdelijk ook een keer naar Quinn moeten kijken. Maar serieus, wat was er mis met haar? Zelfs een stille Fransoos met een raar luchtje en ietwat grote neus vond haar niet aantrekkelijk!

'Wil je met me dansen?' vroeg Quinn aan Jean-Paul. Ze dacht dat ze doodging van verveling. Iemand had de technoherrie uitgezet en betere dansmuziek opgezet. Een groep mensen schoof de glazen koffietafel uit de weg om een dansvloer te maken in de zithoek. Ze zag Celeste met Finn praten, en Rielle liep achter Puck aan naar de dansvloer.

'Best.' Jean-Paul haalde zijn schouders op en keek niet bepaald enthousiast. Hij ging langzaam staan en slenterde naar de dansvloer. Zoals altijd keek iedereen wie er als eersten gingen dansen. Dit was het ideale moment voor Quinn om in actie te komen. Ze was er tenslotte aan gewend dat alle spotlights op haar gericht waren. Dit was haar kans om iets van haar oude glorie terug te krijgen.

'Je kunt goed dansen,' fluisterde Quinn na een tijdje verleidelijk in Jean-Pauls oor. Dat was niet echt waar – hij zwaaide een beetje heen en weer met zijn bovenlichaam – maar alle mannen houden van een complimentje.

'Bedankt,' mompelde hij, en hij keek om zich heen.

Naast haar ging Santana uit haar dak met de kleine gespierde Franse jongen. Ze droeg een roze haltertop met een blote rug van Mezzo en een strakke jeans. Quinn moest snel iets doen om de aandacht te trekken, anders zou iedereen naar Santana blijven kijken.

Zonder erover na te denken greep Quinn Jean-Paul bij zijn shirt en trok hem naar zich toe voor een kus. Onmiddellijk gingen de toekijkers joelen en klappen. Quinn wist dat dit helemaal niet bij haar imago paste, maar dat kon haar niet schelen. Jean-Paul smaakte naar sigaretten en een vreemd soort kauwgom.

Maar na een heel kort moment waarin ze genoot van de heerlijke aandacht deed Jean-Paul een stap naar achteren. Hij keek wanhopig om zich heen totdat zijn blik die van Celeste kruiste. Ze keken elkaar intens aan. Daarna ging Celeste de keuken in. Zelfs in de woonkamer, tussen alle herrie en muziek, kon je de achterdeur dicht horen slaan.

'Het spijt me,' zei Jean-Paul tegen Quinn. Hij liep achteruit. 'Ik moet gaan.' En voordat ze iets kon zeggen, baande hij zich langs alle dansende mensen een weg naar buiten. Quinn deed een stap naar achteren en probeerde de aandacht af te leiden van de ongemakkelijke situatie. Het leek in de kamer ineens stikheet. Waarom overkwam haar dit nu weer?

Jean-Paul racete om de bruine ribfluwelen bank, struikelde over een groep mensen die Twister speelde, en rende achter Celeste aan.

Waar is hij mee bezig? dacht Finn. Waarom zit hij achter haar aan terwijl ik haar date ben? Finns ridderinstinct kwam ineens op en hij liep erachteraan om te kijken wat er aan de hand was. Niemand kwam aan zijn meisje, laat dat duidelijk zijn.

Quinn stond midden in de kamer en herstelde snel van de schok. Iedereen had het gezien, dus het was nogal moeilijk om te doen alsof er niets gebeurd was, maar als iemand dat kon, was het Quinn wel.

'Wat gebeurde daar nou? Je hebt die Franse engerd vet staan zoenen!' zei Santana, die achter Quinn kwam staan en een hand op haar schouder legde.

'Het was zo raar. We waren gewoon aan het praten en toen pakte hij me vast en zoende me ineens!' riep Quinn en ze keek verontwaardigd. Ze streek met haar hand over haar haar. 'Ik weet niet hoe het er in Frankrijk aan toegaat, maar Amerikaanse meisjes zijn echt niet gediend van zoenen in het openbaar!'

168

Santana knikte, een wijze rimpel in haar voorhoofd. Quinn realiseerde zich dat Santana wel de allerlaatste was om dit te begrijpen. Ze stond regelmatig met allerlei footballspelers midden op school uitgebreid te tongen. 'Wat is dat nou weer?' fluisterde Santana en ze keek over Quinns schouder.

Quinn draaide zich om, bang dat er weer een scène te zien was in de goedkope soap tussen Jean-Paul en Celeste, maar deze keer keek iedereen naar de voordeur. Midden in het rumoer om Jean-Paul waren er wat gate crashers naar binnen gekomen.

De ergste soort crashers. Glee Club-losers.

Mercedes liep vooraan en achter haar liepen haar stinkende Franse partner Marc – of hoe hij ook heette – Tina, Kurt en nog wat Franse Gleeks. Ze droegen allemaal feestkleren en zagen er eigenlijk best cool uit. Zelfs die sullige Franse jongen. Santana keek eens goed. Had hij een shirt van Mezzo aan?

'Zie ik het goed, spelen ze daar SingStar?' vroeg Kurt, die over alle dansers heen naar de flatscreen keek alsof hij door een soort karaokeradar werd geleid. Een lange basketbalspeler zong een heel slechte versie van Maroon 5's laatste single. Kurt wreef verlekkerd in zijn handen. 'Ik denk niet dat die jongen genoeg angst kent om dat nummer te zingen zoals het hoort.'

'We gaan de boel hier helemaal op zijn kop zetten. Denk je dat ze "Material Girl" hebben?' Mercedes pakte Marc bij de hand en trok hem door de woonkamer achter zich aan in de richting van de flatscreen waar de PlayStation op aangesloten was. Ze werden aangestaard maar bleven kalm en vrolijk terwijl ze op een grote bank neerploften om op hun beurt te wachten. Het duurde niet lang voordat Kurt en Aimee, die er smakelijk bij liep in een rood sweaterjurkje met veel inkijk, de jarentachtighit 'Come on Eileen' zongen. Al snel stonden er allerlei lange basketbalspelers met bekers lauw bier om Kurt en Aimee te klappen.

'Zing "Time After Time"!' riep Luke Wainwright toen

ze klaar waren. Andere mensen vroegen ook om verzoek-nummers.

'Het lijkt wel alsof we overal achtervolgd worden door deze nerds,' zei Quinn en ze plofte teleurgesteld neer op een bank. Ze nam een slok uit haar fles mineraalwater. 'Waar is Britt?'

'Je gelooft het nooit.' Santana wees naar de speelkamer waar Brittany aan Marcs Franse schouder hing. Ze zoog op een punt van haar lange blonde haar. Santana en Quinn wisten dat dit betekende dat ze op het punt stond om toe te slaan.

Het was buiten helder en koud. Finn bleef even achter de deur staan en keek naar Celeste en Jean-Paul op het terras. Ze praatten – hard – in het Frans. Ergens vond hij dat hij hen niet moest storen, maar toen greep Jean-Paul Celeste bij de arm. Dat ging te ver. Finn duwde de deur open. De ijzige kou sloeg hem in het gezicht. Het was best wel lekker na de tropische warmte in het huis.

'Wat is er aan de hand?' vroeg Finn, en hij rende over het besneeuwde terras op Jean-Paul af. Jean-Paul was lang, maar Finn was zo'n tien centimeter langer en vijftien kilo zwaarder.

Jean-Paul liet Celestes arm los. Hij keek supergefrustreerd. 'Het gaat je niets aan. Ga weg.' Hij probeerde Finn de rug toe te keren en voor Celeste te gaan staan maar Finn duwde hem opzij.

'Laat haar met rust,' zei Finn, nu harder. Hij had een hekel aan vechtpartijen maar als deze gast niet onmiddellijk kapte met Celeste lastigvallen, ging hij zijn Amerikaanse vuist in een Frans hoofd planten.

'Jij vindt jezelf echt een heel stoere basketbalspeler, hè?' zei Jean-Paul. In het huis stond iedereen voor de ramen te dringen, hopend op een bloederig gevecht. 'Stoere Amerikaanse bink.' Je zag zijn adem in de koude lucht hangen. 'Maar je bent gewoon een...'

'Hou op!' gilde Celeste met een oorverdovend hoog sopraanstemmetje. Finn en Jean-Paul deden allebei meteen een stap achteruit. 'Jullie zijn allebei gek.' Ze zag er ijskoud uit in haar flinterdunne rode hesje en Finn wilde dat hij een jas had om over haar schouders te slaan. Ze legde een hand op Finns arm en hij voelde zich triomfantelijk. Hij had gewonnen!

'Je moet weer naar binnen. Je hebt het koud.' Finn wilde een arm om Celeste slaan, maar ze duwde hem weg. Het was volle maan en de achtertuin was zo fel verlicht dat het dag leek.

'Finn, Jean-Paul was vroeger mijn vriendje, en hij wil alleen maar voor me zorgen.' Ze keek naar Jean-Paul en liet Finns arm los. 'Ik was verdrietig omdat ik hem met die blonde cheerleader zag zoenen, oké?'

Finn deed een stap achteruit. De sneeuw op het terras was aardig diep en viel de hele tijd in zijn zwarte All Stars. Zijn sokken werden nat. Hij keek Jean-Paul aan, die zweeg. 'Voel je nog steeds iets voor hem?'

Celeste rolde met haar ogen. 'Het is ingewikkeld. Als een relatie afloopt, betekent dat niet dat je je gevoel kunt uitzetten.' Ze wreef met haar handen over haar blote armen. 'Hij is ook boos op mij omdat ik in Amerika wil blijven en hier naar school wil gaan, op McKinley.'

'Wat?' Finn struikelde over een besneeuwde tuinstoel. 'Blijf je hier? Cool.' Zijn hoofd tolde. Hij kon Celeste goed laten kennismaken met Amerika als ze bleef. Haar meenemen voor een ijsje, of naar de drive-inbioscoop. Er was nog steeds een drive-in open, in Royalton, waar ze in de zomer altijd naartoe gingen om de grote kaskrakers te zien. Hij wilde wedden dat zoiets niet bestond in Frankrijk.

Maar... langzaam sijpelde naar binnen dat ze nog iets had verteld. Iets over gevoel.

'Finn.' Celeste keek Finn recht in de ogen. Haar wangen en lippen waren knalrood van de kou. 'Er is niets tussen ons. Je bent een aardige jongen, maar ik was je gewoon... eh... aan het uitproberen.'

Finn knipperde met zijn ogen. Uitproberen? Deed ze daarom al de hele avond zo raar en afstandelijk? Wat was er mis

171

met die Franse meisjes? In de kleedkamer kon ze niet van hem afblijven, en nu was hij ineens een soort experiment? Ze had toch iets kunnen zeggen? Die Franse meisjes waren al net zo maf als de Amerikaanse!

Finn liep naar achteren en stak zijn wijsvinger uit. 'Jullie twee... zijn gestoord. Echt allebei.' En hij rende weer naar binnen. Laat ze lekker met elkaar in de kou uitzoeken wat ze voelen.

Ondertussen dacht Finn na over zijn eigen hart.

Vrouwen. Allemaal even gek. Zoals bijvoorbeeld: waarom had Quinn Jean-Paul gezoend?

En waren dat niet Glee-kids die binnen waren gekomen? Ergens vroeg hij zich af – gewoon uit nieuwsgierigheid – of Rachel er ook was. Stel dat het waar was wat Celeste had gezegd. Ook al was ze een beetje van lotje getikt. Je kunt je gevoel niet uitzetten. Finns hart ging sneller kloppen.

Misschien waren niet alleen meisjes onvoorspelbaar.

Multiculturele Show, zaterdagavond

Die zaterdagavond was de aula van McKinley High tot de nok toe gevuld. Elk jaar deden verschillende scholen in de omgeving mee aan de show en het publiek zat vol verwachtingsvolle – en hier en daar verveelde – ouders. Een extreem trotse moeder had haar hele bijbelclub meegenomen om haar zoon 'We are the World' op zijn elektrische gitaar te zien spelen.

Achter het podium was geen *greenroom* dus waren veel groepen in de klaslokalen achter de aula aan het repeteren, terwijl anderen in de grote hal stonden te wachten, waar Jacob Ben Israel, alias J-Fro, de hele tijd langsliep en 'sst' riep om iedereen stil te krijgen. De AudioVideo-loser slaagde er elke grote show in om de rol van toneelmeester te krijgen, waarschijnlijk zodat hij alle roddels en geheimen kon afluisteren voor zijn blog over de school.

'Ik kan je behabandje zien, Rachel.' Jacob likte zijn lippen af en reikte zijn hand uit naar Rachels witte T-shirt alsof hij van plan was om het behabandje aan te raken. 'Ik vind dat erg opwindend.'

Rachel sprong achteruit en botste tegen een meisje op met een gigantisch fagotachtig instrument. Ze trok haar T-shirt recht. 'Jacob, ik vind het ongelofelijk fout dat jij je positie als toneelmeester misbruikt om achter de schermen het jonge vrouwelijke talent seksueel te intimideren.'

'Ik vind dat een valse beschuldiging. Ik wil je alleen maar helpen.' Jacob wreef in zijn handen. Rachels zelfvertrouwen – en stevige ronde borstjes – vond hij superaantrekkelijk.

De meest zenuwachtige leerlingen stonden in de coulissen van het podium op hun beurt te wachten en keken stilletjes van achter het stoffige roodfluwelen doek naar de act die op dat moment te zien was. Voor een gespannen tiener leek de aula van McKinley High net zo groot als Radio City Music Hall, de grootste zaal in de hele Verenigde Staten.

Rector Figgins, die de avond officieel geopend had met een speech, liep rond achter de coulissen en wenste alle groepen daar succes. 'Toitoitoi,' zei hij, en hij klopte Mia Ng op haar schouder. Mia was een meisje dat hij maar één keer per halfjaar zag, wanneer ze kwam klagen over haar cijfers. De leden van de Bond Voor Aziatische leerlingen hadden hun felgekleurde papier-maché draak vast en probeerden te voorkomen dat de fladderende drakenvleugels verstrikt raakten in de touwen die alle lampen en het fluwelen doek bedienden, of dat iemand erop ging staan. In de hoek bij de geluidseffectenmachine repeteerde een groep Ierse dansers in groene kabouterkostuums hun danspassen.

De Cheerios namen natuurlijk de meeste plaats in achter het podium. Ze stonden allemaal hun warming-up te doen voor hun optreden over etnische diversiteit. 'Lieve god,' mompelde rector Figgins in zichzelf toen hij hen bezig zag.

Het zag eruit alsof ze reclame maakten voor de Disney-versie van de Verenigde Naties. Ze droegen allemaal hun Cheerios-uniform maar zwaaiden ook met allerlei vlaggen en spandoeken waar cartoonachtige illustraties op stonden van mensen uit andere landen. Op een van de vlaggen stond een blond meisje met twee vlechten afgebeeld – vermoedelijk om Zwitserland te vertegenwoordigen. Op een andere vlag stond een Aziatisch meisje in een strak Chinees jurkje hand in hand met een bruine jongen in indianentooi, een lendendoek en mocassins met kralen. Moest dit culturele eenheid vertegenwoordigen? De Glee Club-leden kreunden toen ze de vlag zagen die Frankrijk moest symboliseren: er stond een meisje op in een kinky dienstmeisjesoutfit, een grote veren stoffer in haar hand.

'Dat is niet erg politiek correct,' fluisterde Artie tegen Kurt, die zijn haar deed voor de spiegel in de krappe oefenplek in de coulissen die de Glee Club voor zichzelf had weten te bemachtigen. 'Die veren stoffer is een beetje te veel van het goede, vind je niet?'

'Natuurlijk is het niet politiek correct. Het is Coach Sylvester!' Het was bloedheet achter het podium en Kurts zorgvuldig gelakte haar werd slap van de warme lucht. 'Ik denk dat ik een foto van de Cheerios maak en hem op Stop Discriminatie post.'

De twee Glee Clubs hadden eenvoudige kostuums gekozen. Ze droegen allemaal een rode broek of rok, een wit T-shirt en een blauw vest: de kleuren van de Franse én de Amerikaanse vlag. Het waren simpele, maar eenvoudige kostuums en Kurt vond dat hij er te gek uitzag in zijn rode broek. Hij kon de hele wereld aan in deze outfit.

Rector Figgins keek de Cheerios meewarig aan. Het had nu totaal geen zin meer om er wat van te zeggen. Sue Sylvester wist hoe je een goede show moest geven en ze had bovendien een fanclub ter grootte van een klein land in Latijns-Amerika. 'Succes, Sue,' zei hij vermoeid terwijl hij langsliep.

'Ik geloof al niet meer in dingen als geluk of de Kerstman sinds ik twee jaar oud ben,' beet ze hem toe. Coach Sylvester droeg weer eens een trainingspak: paars met lichtblauwe strepen aan de zijkant. 'Geluk heeft er niets mee te maken. Het gaat om zweet, en mijn Cheerios hebben zo hard aan hun routine gewerkt dat ze na de repetitie bijna niet meer konden lopen van vermoeidheid.'

'Hm,' antwoordde rector Figgins. Er hoefde maar één ouder genoeg te krijgen van Sue Sylvesters harde praktijken en een rechtszaak aan te spannen tegen de school en voor hij het wist zou de rechtszaak zich uitbreiden tot een collectieve aanklacht van een grote groep ontevreden ouders. 'Toitoitoi, dan maar.'

Hij wilde doorlopen en de volgende groep succes wensen, toen hij Brittany zag staan. Ze had haar Cheerios-uniform aan en zwaaide met een vlag waarop een Bollywoodster stond, vermoedelijk om India te vertegenwoordigen.

'Sue, misschien heb je mij gisteren niet goed verstaan toen

ik zei dat Santana en Brittany niet met de Cheerios mogen optreden. We hebben hen tijdens de les net iets te vaak het schoolterrein zien verlaten.'

'Figgins, je kunt toch niet verwachten dat ik álles wat je vertelt serieus neem.' Coach Sylvester keek naar het publiek in de zaal. Ze vond het heerlijk als de zaal vol zat. Dan kon je de spanning bijna ruiken. Haar Cheerios zouden al die duffe mariachibands en dat stelletje talentloze Glee-sukkels moeiteloos verslaan.

'Sue, ik meen het. Na de eerste melding dat deze meisjes spijbelden hebben we een klein onderzoek naar hun spijbel-gedrag uitgevoerd. En wat blijkt? De meisjes spijbelen even-veel lesuren als dat ze lessen bijwonen!' Hij draaide zich om naar Santana en Brittany, die bang naar de grond staarden. 'Jullie komen maandag allebei in het eerste uur naar mijn kantoor zodat we kunnen bespreken hoe jullie de verloren lesuren gaan inhalen. En jullie mogen onder geen beding meedoen met het optreden van de Cheerios.'

'Dit is een ramp!' Coach Sylvesters gezicht werd paars van woede. 'Wie moet deze vlag dan dragen?' vroeg ze en ze wees naar de grote zijden vlag die Santana moedeloos boven haar hoofd had staan zwaaien. Er stond een vrouw op in een vol-ledige boerka. 'Ik wou een belangrijk statement maken over de onderdrukking van vrouwen.'

Rector Figgins zuchtte. Misschien was het maar goed ook dat hij de meisjes in de coulissen had ontdekt. 'Ik ben blij dat die vlag het podium niet op gaat. Er zitten een aantal ouders in het publiek die de vlag aanstootgevend zouden vinden.'

'Mogen we niet optreden?' vroeg Brittany, alsof ze het hele gesprek niet gehoord had. Als er te lang gepraat werd, raakte ze altijd in de war. 'Helemaal niet?' Brittany had aan haar denkbeeldige vriendje beloofd dat ze vanaf het podium naar hem zou zwaaien.

'Ik ben geen monster.' Rector Figgins rechtte zijn zwarte das die versierd was met Chinese leestekens – hij hoopte dat er geen vunzige woorden stonden – en keek naar het podium, waar een groep leerlingen van Central Valley High op Afrikaanse drums drumde. De vloer op het podium vibreerde mee met het ritme. 'Ze mogen hun straf uitkiezen: of ze treden helemaal niet op, of ze treden alleen op met de Glee Club. Het is aan hen.'

'De Glee Club? Dat is een wrede en ongebruikelijke straf!' riep Sue Sylvester uit. Ze keek naar de meisjes, benieuwd of ze gingen protesteren. Ze had de twee meiden toestemming gegeven om lid te worden van Glee zodat ze konden spioneren en informatie over Will Schuester konden doorspelen waarmee ze hem eindelijk kon vernietigen, maar de laatste tijd had ze het idee – als ze het goed had, en dat was altijd zo – dat ze Glee stiekem best leuk gingen vinden. Waarschijnlijk had die voodoopriester Will Schuester hen behekst met hypnotiserende stemoefeningen.

'Ik denk dat de Glee-kids, met uitzondering van een paar mensen, een veel betere invloed hebben gehad op de aanwezigheid van Brittany en Santana dan jouw Cheerios ooit hebben gedaan.' De meeste Glee-kids waren nerds, dus het kwam nooit in hun hoofd op om te spijbelen. De Cheerios waren verwend en vonden het normaal om in de watten te worden gelegd. En rector Figgins was het zo ontzettend zat om brieven van Coach Sylvesters dermatoloog te krijgen waarin toestemming gevraagd werd om de meisjes een milde face peeling te geven onder schooltijd.

'Goed,' zei Brittany zachtjes en ze deed een stap naar voren. Ze durfde Coach Sylvester niet aan te kijken, die woest zou zijn als ze op gingen treden met Glee, maar ze hadden geen keus. Trouwens, meneer Schuester had gezegd dat er altijd een plaatsje voor hen was bij Glee. Zoiets zou Coach Sylvester nooit hebben gezegd.

En als ze toch mocht optreden, kon haar denkbeeldige vriendje toch nog iets zien. Brittany mocht een heel domme leerling zijn, maar ze was wel een geweldige performer. Santana porde haar in haar zij. 'Ja, Glee,' zei Brittany vaagjes.

'Gadver. Oké. Ik bedoel, goed, ik doe wel mee met Glee…

als het moet,' zei Santana meteen. Ze was er niet aan gewend dat Brittany de leiding nam, maar ze was pissig op Coach Sylvester omdat zij de stomste vlag van de hele Cheerios-routine moest dragen. Een boerka? Echt onsexy.

'Ik vergeet dit nooit meer, Figgins.' Coach Sylvester zei het met een heel lage stem. Ze had zoveel materiaal waarmee ze Figgins kon chanteren – het meeste ervan was in scène gezet – dat ze oprecht verbaasd was dat hij tegen haar in durfde te gaan. Ze stond op het punt om iets te zeggen, maar hij onderbrak haar.

'Sue, ik heb geen tijd voor dit gedoe.' Hij wees naar het podium. Leerlingen met allerlei soorten drums liepen van het podium af de coulissen in. 'En jij ook niet. Jullie moeten op na de Ierse dansgroep.'

Vijf minuten later hadden de twee meisjes hun smakeloze uniform uit en droegen ze de extra Glee-outfits die meneer Schuester had meegenomen, voor het geval dat. Hij bleef altijd optimistisch. Nu zijn groep weer compleet was, zat alles weer op de rit. Zelfs Quinn was op komen dagen. Ze zag er wat moe uit, maar ze was er helemaal klaar voor om op het podium te schitteren. Will Schuester gaf Brittany een klopje op haar rug. 'Fijn dat jullie meedoen. We hebben jullie nodig.' Terwijl hij het zei, knipoogde hij naar Quinn, zodat ze wist dat hij het ook tegen haar had.

Quinn glimlachte beleefd terug, ook al was het leuk wat meneer Schu zei. Het was fijn dat ze nodig was. Al hadden Puck of Finn haar duidelijk niet nodig, Glee zou haar misschien altijd nodig hebben. Ze had liever een jongen, maar dit was ook niet slecht.

'Dit is waar het om draait,' zei meneer Schuester op een zachte fluistertoon tegen de groep, die zich om hem heen had verzameld. Hij praatte zacht, want hij wilde de Ierse dansers niet verstoren. Ze waren best goed. Monsieur Renaud stond naast hem en grijnsde breeduit. Brittany ging dichterbij staan en probeerde voorzichtig zijn Franse geur op te snuiven.

Meneer Schuester vervolgde: 'Jullie hebben de afgelopen

dagen heel erg goed samengewerkt. We zijn allebei erg trots op jullie allemaal. Wij treden op na de Cheerios. En ik wil dat jullie alles geven. Laat de wereld zien wat je in huis hebt. Toitoitoi.'

Iedereen had de teksten geoefend tot het perfect ging. De paar leerlingen van meneer Schuester die moeite hadden met het Frans, hadden de Franse teksten fonetisch leren uitspreken. 'En...' Meneer Schuester pauzeerde even voor extra effect. 'Ik heb gehoord dat voorzitter Doherty voor in de zaal zit, midden in de eerste rij.'

'Hé, niet om het een of ander, maar waar is Celeste?' Finn keek om zich heen. Ook al was hij nog boos op haar, toch was het vreemd dat ze er niet was en zich met de rest op het optreden stond voor te bereiden.

'Wat?' Meneer Schuester kreeg het ineens koud. Celeste was ontzettend belangrijk en had een paar solo's. Ze moest er gewoon bij zijn.

Hij draaide zich om naar Rachel, die haar irritante warming-upoefeningen aan het doen was voor haar stembanden. Had ze Celeste in een bezemkast opgesloten zodat ze haar solo's kon afpakken? Had hij een enorme fout begaan door haar van partner te laten veranderen? Was dit al die tijd haar snode plan geweest? 'Heb jij Celeste gezien?'

Nee, Rachels stem klonk onschuldig toen ze ophield met *br-br-br-en* en antwoordde: 'Nee, maar ik denk dat ik weet waar ze is.'

'Snel,' zei hij, en hij greep zijn hoofd met beide handen vast. Het publiek klapte enthousiast voor de Ierse dansers. Iemand gooide zelfs rozen op het podium. 'Nog één optreden en dan moeten wij op.'

Rachel draaide zich om en rende de school in. Haar donkerblauwe ballerina's waren bijna niet te horen in de verlaten gangen. Ze hoopte dat haar intuïtie klopte. De dag ervoor was ze met Celeste in de grote hal blijven staan voor de grote vitrine met alle Glee Club-prijzen uit de glorietijd van Glee in de jaren tachtig en negentig. Er waren talloze gouden bekers en medailles te zien met de woorden 'McKinley High School Glee Club'. Midden in de kast stond de metershoge houten en gouden trofee met de gravering 'Sectionals Kampioen 2010'. Celeste had vol bewondering naar de prijzen gekeken en de vitrine gestreeld terwijl ze hardop wenste dat haar eigen Glee Club het zingen serieuzer kon nemen.

Op de trap tegenover de prijzenkast zat Celeste. Ze deed een yoga-achtige ademhalingsoefening. Rachels intuïtie had geklopt.

'Celeste?' vroeg Rachel voorzichtig. Ze wilde haar meditatie niet storen – ze had er een hekel aan als mensen haar stoorden als ze haar warming-up deed – maar Celeste zag er niet uit alsof ze mediteerde. Ze zag er eerder uit alsof ze een paniekaanval zat te bedwingen. 'Gaat het?'

Celeste keek op. Haar blauwe ogen stonden vol tranen. 'Ik denk niet dat ik het podium op kan. Ik denk niet dat ik Jean-Paul kan zien. Hij was het ex-vriendje dat vreemd was gegaan en mijn hart heeft gebroken.' Ze wreef met haar vingertoppen over haar slapen. Ze had lange rode nagels en Rachel wilde dat ze eraan gedacht had om haar nagels te lakken voor de show. 'En nu wil hij me terug!'

'O.' Rachel vond zichzelf niet geschikt om advies te geven op relatiegebied. Ze had erg weinig ervaring in de liefde, een paar zomerromances op zang & dans zomerkamp, en haar superkorte relatie met Finn. Ze keek naar de deur van de aula en wenste dat iemand anders naar buiten kwam om Celeste een peptalk te geven.

Maar de aula zat stampvol mensen die klaar waren om overdonderd te worden door het optreden van de Glee Club. Rachel was het aan haar team verschuldigd om Celeste uit de put en op het podium te praten. 'Wat kan het je schelen wat híj wil? Jij moet doen wat jíj wilt. Je bent veel belangrijker dan hij en niet alleen omdat je talent hebt.' Rachel glimlachte. 'Je bent aardig.'

Celeste haalde haar schouders op. Ze zag er wanhopig uit. 'Ik wou alleen maar naar school in Amerika om ver weg van

Jean-Paul te kunnen zijn, en niet alleen vanwege de carrière-kansen die ik erdoor zou hebben, ook al speelde dat wel een rol.'

'Wil je hier... hier naar school? Op McKinley?' Er ging een rilling over Rachels ruggengraat. Had ze daarom in het kantoor van de decaan gezeten? Probeerde ze over te stappen? Rachel had zich net neergelegd bij Celestes talent en begon haar zelfs aardig te vinden, maar als ze een permanent lid van de Glee Club werd, wist ze niet of ze dat kon volhouden.

Celeste schudde langzaam haar hoofd. 'Ik weet het niet meer.' Een traan biggelde over haar wang.

Rachel wist niet wat ze moest doen, maar ze kon niet tegen zoveel verdriet. Haar reactie werd niet louter ingegeven door eigenbelang. Ze had echt een band met Celeste en had de indruk dat ze haar begreep. 'Celeste, zie je niet wat je doet? Je moet niet zo met je laten sollen, zeker niet na wat hij gedaan heeft! Je laat je toekomst door een jóngen bepalen!'

'Doe ik dat?' Celeste keek Rachel aan.

Rachel ging naast Celeste zitten en voelde een golf van medeleven voor haar Franse partner. Dat ze mooi was betekende niet dat ze meer geluk met jongens had dan Rachel, ook al had ze dan een perfect neusje. 'Naar Amerika gaan om een jongen te ontlopen, is hetzelfde als naar Amerika gaan om bij een jongen te zijn. Maak je geen zorgen over Jean-Paul. Hij is overduidelijk een kandidaat voor antidepressiva en hij is de stress niet waard.'

'Ik weet het niet.' Celeste zuchtte zacht en keek naar de kunstwerken aan de muren van het trappenhuis. Daar hingen Japanse kalligrafieën, enigszins scheef. 'Het zóú goed zijn voor mijn carrière.'

'Lima?' vroeg Rachel vol ongeloof. In haar achterhoofd wist ze dat ze het echt niet aankon als Celeste naar McKinley ging, hoe aardig ze haar ook vond. Het zou een ramp zijn. Rachel zou moeten overstappen. 'Lima is niet bepaald werelds. Dat het dichter bij Broadway is dan Frankrijk betekent niet dat dit je enige kans is om daar te komen.'

Rachel zag dat Celeste vrolijker werd, misschien vond ze het hele idee om naar McKinley over te stappen toch al niet zo'n goed plan. 'En trouwens, iemand als jij heeft een geweldige carrière in het vooruitzicht, waar je ook bent. Jouw talent wijst jou de weg.' Tot haar eigen verbazing meende Rachel het nog ook. Ze pakte Celeste bij de hand en kneep erin.

Celeste lachte haar miljoen-kilowatt-glimlach. Rachel zag een kuiltje in haar wang en wenste dat zij dat had, het zou er zo geweldig uitzien in close-ups. 'Denk je?' vroeg ze Rachel, ook al was het overduidelijk dat ze het ermee eens was.

'Zeker weten. En je Glee Club heeft je nodig.' Rachel streek voorzichtig een haarlok achter haar oor en voelde even aan haar gouden geluksoorbellen in de vorm van een ster. 'Ik bedoel, stel je de McKinley Glee Club eens voor zonder mij.' Ze rilde. Ze vond het heerlijk om daar af en toe aan te denken, alleen om zichzelf eraan te herinneren hoe belangrijk ze wel was. 'Dat is waar jouw Glee Club zou zijn zonder jou.'

'Dat is waar. Ze hebben allemaal best wat talent, maar niemand heeft zo'n perfect zuivere stem als ik.' Celeste keek alweer dromerig voor zich uit. Rachel herkende die blik, ze zag zichzelf op het podium, het aanbiddende publiek aan haar voeten, klaar om betoverd te worden door haar stem. Ze wilde haar humeur niet verpesten dus vertelde ze Celeste maar niet dat ze niet echt een perfect zuivere stem had, Celeste zat er soms een beetje naast. Maar alleen iemand met een absoluut gehoor, zoals Rachel, zou dat ooit kunnen horen.

'Wat denk je, ben je er klaar voor om het podium op te gaan om iedereen te laten zien wat wij in huis hebben?' vroeg Rachel een beetje gespannen. Ze ging staan en streek haar rode rokje glad. Meneer Schuester had vast inmiddels zijn nagels afgebeten van de stress. Ze vond het fijn dat haar peptalk werkte, maar ze wilde niet te laat zijn.

Gelukkig sprong Celeste op. Ze had er zin in. Ze trok Rachel met zich mee naar de aula. 'Ja, we gaan. Je hebt gelijk. Over alles. Ik hoor thuis, voorlopig. En het maakt niet uit waar Jean-Paul is... ik wil niks met hem.'

Rachel was opgelucht. Ze vond Celeste aardig en zo, maar op McKinley was er maar plaats voor één ster, en Rachel Berry was niet van plan om die plaats op te geven.

'Precies op tijd!' riep meneer Schuester uit toen Celeste en Rachel in de coulissen verschenen. Op zijn voorhoofd stonden minuscule zweetdruppeltjes. 'Ik raakte net in paniek.' Hij wilde het niet toegeven maar hij had staan genieten van het optreden van de Cheerios, want het was ontzettend slecht. Zonder Sue's beste meisjes lukte de routine voor geen meter en het liedje – met al die vreselijke vlaggen en spandoeken – was smakeloos en goedkoop. Het was misschien oneerlijk van hem om zo hard te lachen, maar Sue Sylvester kon best wat bescheidenheid gebruiken. 'Zijn jullie er klaar voor?'

Deze keer kon iedereen antwoorden. Zodra het zielige groepje Cheerios van het podium af stommelde, gingen de Glee-kids op. Misschien kregen ze het voordeel van de twijfel direct na een slecht optreden, maar zodra de jongelui de mash-up van 'Love Train' en 'L'Hymne à L'Amour' inzetten, hadden ze de hele zaal voor honderd procent mee. Meneer Schuester zag vanuit de coulissen dat voorzitter Doherty op de maat meebewoog en in het oor van zijn vrouw fluisterde, die een minirokje droeg en er twintig jaar jonger uitzag dan haar man.

Maar ook al was het extra geld voor zijn budget welkom, dacht hij, het was niets vergeleken met het uitzicht op twee Glee Clubs die samen zo'n fantastisch optreden gaven. Dat was niet in geld uit te drukken.

26

Parkeerterrein van McKinley High, zondagochtend

Zaterdagavond hadden monsieur Renaud en meneer Schuester na de Multiculturele Show de teams op ijs in de Lima
Freeze getrakteerd als beloning voor hun succes op het podium. Niemand protesteerde, ook al was het niet bepaald het
seizoen voor ijs. Zelfs de Cheerios maakten geen bezwaar en
bestelden yoghurtijs. (Ze hadden tenslotte niet zoveel calorieën verbrand met zingen als ze met de Cheerios-dansroutine
zouden hebben verbrand, dus gewoon ijs mochten ze niet.)
Ze waren met zijn allen tot sluitingstijd in de ijssalon gebleven. De leerlingen hadden over de hokjes geleund en met
elkaar in het Engels en het Frans gekletst terwijl ze vrolijk
milkshakes en ijsjes naar binnen werkten.

Dat betekende niet dat de Glee-kids er klaar voor waren
om afscheid te nemen van hun Franse partners. Voordat meneer Schuester het kon voorstellen, vroeg Rachel verlegen
aan hem of ze de Franse leerlingen konden uitzwaaien voordat ze de volgende ochtend met de bus naar het vliegveld van
Columbus zouden vertrekken.

En dus, die zondagmorgen, niet heel vroeg, lummelde de
McKinley High Glee Club rond op het parkeerterrein van hun
school. Het was een mooie winterse dag, zo een die je alleen
aan het eind van de winter hebt, wanneer de zon zo fel schijnt
dat de sneeuw je bijna verblindt en de lucht zo blauw is dat je
moet denken aan lente, ondanks de ijzige kou. Tina was die
ochtend vroeg naar Kurts huis gegaan om een spandoek te
maken. Kurt had altijd een grote voorraad knutselspullen in
huis. Ze hadden een lange witte spandoek gemaakt met AU RE-
VOIR, LES AMIS in gouden glitterletters; ze hadden de zin gevonden door te googelen op: Franse vertaling 'vaarwel, vrienden'.

184

De Glee-kids hadden allemaal de spandoek vast – zelfs Quinn, Santana en Brittany – toen de bus met Fransen op het parkeerterrein stil bleef staan en de Fransen een voor een uit de bus rolden, de kou in.

Celeste stapte als eerste uit. Ze knuffelde Rachel en gaf haar een stuk papier met haar adres erop. 'Stuur me een speellijst als je op Broadway staat.' Daarna kuste ze iedere McKinley-leerling op de wang en zei: 'Bedankt voor je steun.'

Nadat ze Kurt een afscheidskus had gegeven, fluisterde hij tegen Mercedes: 'Ik ga Rachels Franse tweelingzus totaal niet missen. Ik kan het waarderen dat ze haar heeft dat eruitziet alsof ze in een Pantène-reclame thuishoort, maar twee Rachels in de buurt is mij te veel. Ik denk de hele tijd dat mijn hoofd gaat ontploffen.'

'Heb je al goed nieuws gehad van de voorzitter?' vroeg Philippe Renaud toen hij Will Schuester omhelsde en op de rug klopte. De Cheerios zwaaiden flirtend naar de Franse directeur van het Lycée de Lyon en hij negeerde ze zo beleefd mogelijk.

'Eh... nee.' Will Schuester lachte schaapachtig. 'En ik ben bang dat ik het ook niet ga krijgen. Hij heeft me gisteravond gebeld om te vertellen dat hij diep onder de indruk was van het optreden. Maar het bestuur heeft besloten om geen geld aan culturele activiteiten te geven. Dankzij een recordaantal voedselvergiftigingen gaan ze het geld investeren in nieuwe ijskasten voor de kantine.'

'O, nee!' riep Philippe. 'Dat is vreselijk. Al dacht ik wel dat ik flauw ging vallen na die ene hap palak paneer.'

'Hou maar op. Je was niet de enige. De ijskasten deden het de hele week niet goed.' Will keek naar zijn leerlingen die elkaar lachend op de wang zoenden. Hij wilde dat hij zijn camera niet vergeten was. Gelukkig had de AudioVideo Club het optreden van de vorige avond opgenomen. Hij zou het de leerlingen maandag laten zien. 'Ik denk dat we alleen op de ouderwetse manier in Frankrijk komen.'

'Met cake acties en auto's wassen?' stelde Philippe voor.

Will lachte. 'Ik denk het wel!' Ach, het was geen ramp. In elk geval was het optreden van de Cheerios echt heel slecht geweest en die kregen ook geen cent. Dat was al iets om dik tevreden mee te zijn. En bovendien hield al dat gekots na de lunchpauze nu ook eindelijk op.

Het mooiste was wel dat alle leerlingen druk bezig waren adressen en e-mailadressen uit te wisselen. Angelique had Tina op fluistertoon uitgenodigd om bij haar in Lyon te komen logeren en samen de kunstmusea te bezoeken. Ze was al net zo verlegen als Tina, maar de twee waren er toch in geslaagd om vriendschap te sluiten. Gerard had niet met Puck 'geklikt' maar wel vriendschap gesloten met allerlei jocks en droeg nu een McKinley-footballjack dat hij gewonnen had in een optrekwedstrijdje. Mercedes en Marc bespraken enthousiast hoe ze hun samenwerking aan nog meer nummers in de toekomst online konden voortzetten. En verrassend genoeg leek het erop dat Puck en Rielle innig afscheid van elkaar stonden te nemen.

Artie keek toe vanaf de stoep. Omdat het zondag was, was de stoep niet geveegd en het lukte hem door alle dikke sneeuwblubber niet goed om te rijden. Zijn handen waren doorweekt – ondanks zijn handschoenen – van het draaien aan de met sneeuw bedekte wielen. Het leek alsof hij gedoemd was om langs de kantlijn van het leven te zien hoe de knappe maar moreel verdorven jongen telkens weer het meisje kreeg. Hij had Rielle nog steeds niet verteld dat Puck zijn songteksten had gejat, want dat vond hij kinderachtig en gemeen. En trouwens, hij had zich al neergelegd bij zijn lot van man-langs-de-kantlijn. Het zou nergens op slaan als hij er nu over begon, ook al voelde hij zich ergens best wel schuldig dat Rielle nu dacht dat Puck diepere lagen had, terwijl hij zo ondiep was als een regenplas.

'Ik hoop dat je me nog meer van die prachtige teksten stuurt, Puck,' hoorde hij Rielle zeggen. Artie keek naar de bomen in de verte en voelde zich precies zo slecht als na de lunch op de Mexicaanse dag, maar dan erger.

'Natuurlijk, schatje.' Artie wilde niet naar hen kijken maar kon zich voorstellen hoe Puck zich nu naar voren boog en Rielle zoende.

Daarna kwam Rielle naar Artie om afscheid te nemen. Ze droeg een kort jack over een lange rode trui en een rode wollen muts over haar korte pieken. 'Artie.' Ze glimlachte. 'Het was heel fijn om je te leren kennen.'

Arties vingertoppen waren ineens een stuk warmer. 'Hoi, Rielle. Ik wens je een veilige vlucht naar Frankrijk.' Nee hè, dacht hij, zodra hij het zei. Was dat alles wat hij kon verzinnen? Misschien was Puck inderdaad beter voor haar.

Voordat hij begreep wat er aan de hand was, boog Rielle zich naar voren. Haar mond kwam zo dichtbij dat hij zich voor kon stellen hoe haar lippen zouden aanvoelen. '*Les yeux marron, les lèvres rouges fait le coeur bleu.*'

Arties mond viel open van verbazing. Het was een van de teksten die hij voor haar geschreven had.

'*Merci beaucoup* voor de prachtige teksten, Artie.' Ze schonk hem een stralend warme glimlach. 'Ik ga ze allemaal in mijn nummers verwerken. Je bent een geboren dichter.'

'Wíst je het?' Ineens kreeg hij het overal warm. Het maakte niet uit als hij Rielle hierna nooit meer zou zien, als ze maar wist dat híj achter die woorden zat en niet het halvegare brein van Puck. 'Hoe ben je erachter gekomen?'

Rielles bruine ogen werden groter. 'Op het feestje vrijdag. Ik zat met Puck te praten en besefte dat hij een... eh... hoe noemen jullie dat?' Ze dacht even na. 'Een leeghoofd is.'

Artie verslikte zich bijna in zijn lach.

Rielle ging verder, terwijl ze stampvoette om haar voeten warm te houden. 'Ik probeerde te praten over de Franse zinnen in de teksten en hij had geen idee waar ik het over had.' Ze schudde haar hoofd. 'Hij spreekt geen Frans.'

'Logisch,' gaf Artie toe. Ik vlieg, dacht hij. Ik vlieg vanbinnen. 'Puck heeft zijn moedertaal nog niet onder de knie, laat staan dat hij een vreemde taal aankan.' Rielle boog zich naar voren. Haar adem kietelde tegen Arties neus en ze gaf hem een strelend zachte kus op zijn wang. Zijn hele hoofd stond in brand. 'Waarom vroeg je hem dan om nog meer teksten?'

Rielle giechelde en ging weer rechtop staan. 'Ik wou zijn reactie weleens zien.' Ze gaf hem een dichtgevouwen briefje met haar adres, haar e-mailadres en zelfs haar telefoonnummer. 'Jij bent degene van wie ik echt hoop dat hij me nog meer teksten gaat sturen.'

'Dan moet je me wel elke keer de opnames van jouw nummers laten horen.' Artie kon het niet geloven. Hij had een mooie Franse correspondentievriendin! Het was misschien niet zo cool als een mooie Franse vriendin, maar je moest ergens beginnen.

'Natuurlijk.' Rielle keek naar de bus waar haar Franse vrienden voor in de rij stonden. '*Au revoir*,' fluisterde ze. Ze draaide zich om en liep weg. Artie dacht dat zijn hart uit zijn ribbenkast zou knallen.

Aan de andere kant van de groep mensen stond Finn in zijn eentje met zijn handen in zijn zakken voor zich uit te staren. Celeste, die er wreed goed uitzag met haar dikke witte sjaal en witte pet, rende op hem af. Haar wangen waren roze van de kou en haar lange blonde krullen ontsnapten aan haar witte pet. 'Finn!' riep ze. Ze keek hem een beetje schaapachtig aan. 'Ik wil mijn excuses aanbieden. Het was erg onaardig van mij om je te gebruiken. Het spijt me.'

Finn keek naar de grond. Celeste had hem gebruikt en ze had hem ook nog eens bij het vuil gezet zodra ze hem niet meer nodig had. Zoenen en dumpen was zo'n... nou ja, mannending om te doen. Hij wilde boos op haar blijven... maar ze was veel te mooi, man. Hoe kon je nou boos blijven op zo'n gruwelijk mooi meisje?

Hij keek haar aan en zodra hij dat deed had hij haar al vergeven. Ze zag eruit alsof ze op een skipiste in de Alpen thuishoorde; zo heetten die bergen in Frankrijk toch? 'Is al goed,' zei hij. 'Geen punt.'

Celeste legde haar hand op zijn arm. Ook al droeg zij wanten en hij een dikke winterjas, toch voelde hij zijn arm branden van de hitte. 'Wat ben je toch een schatje.'

Hij haalde bescheiden zijn schouders op. Geen enkele kerel was blij als een vrouw hem een 'schatje' noemde maar alles wat Celeste zei klonk zo verdomd sexy. 'Weet je, je kunt me altijd bellen, als je, je weet wel, van gedachten verandert.'

Een kleine glimlach verscheen op Celestes lippen. 'Dat doe ik, als dat mocht gebeuren.' Ze zwaaide voor een laatste keer met haar want naar Finn en draaide zich om naar de bus. De rest van de leerlingen gingen al aan boord, ook al hingen er wat meisjes rond die duidelijk niet weg wilden. Het waren Aimee, Sophie en Claire, Kurts fanclub.

Aimee maakte zich los van haar vriendinnen en liep nog eens naar Kurt om hem voor de laatste keer te omhelzen. De andere twee kwamen haar jaloers achterna, zodat ze met zijn drieën Kurt bijna deden omvallen in een grote groepsknuffel.

'Dag, dames.' Kurt maakte zich los van de meisjes en streek zijn gewatteerde Marc Jacobs-jas weer glad. 'Ik zal jullie allemaal missen.'

Terwijl ze verdrietig aan boord gingen, bleven ze Kurt handkusjes toewerpen en heftig zwaaien. 'Dag, Kurt! Schrijf je mij?' riep Claire.

'Schrijf ook naar mij!' riep Aimee, ietsje harder. Zij stapte als laatste de bus in en de deur, die dichtging, sloeg bijna tegen haar aan. De Franse leerlingen zwaaiden achter de beslagen ramen. Langzaam reed de bus weg.

Ondertussen draaide de rest van de Glee Club zich om naar Kurt. 'Hoe kom jij aan drie vrouwtjes?' vroeg Puck jaloers. Hij bekeek Kurt eens goed. Hij had niet eens spieren, zoals Puck. 'Weten ze dan niet dat je ... je weet wel, van mannen houdt?'

Kurt rechtte zijn rug. 'Ze haalden Europees en homo door elkaar, gebeurt zo vaak.' Hij verschoof de baret die hij voor die gelegenheid weer had opgezet. 'Waarom zou ik ze verbeteren? Ze hebben beloofd dat ze alle nieuwste mode opsturen voordat die hier in Amerika uit is.'

'Player!' riep Puck, en hij stak zijn hand omhoog voor een high five. Iedereen lachte toen Kurt erop sloeg.

Meneer Schuester klapte in zijn handen. 'Wat vinden jullie ervan als ik jullie allemaal trakteer om te vieren dat de uitwisseling een groot succes was?'

De Glee Club-leden joelden blij en stampten met hun voeten.

Will Schuester grijnsde breeduit. 'Trek in Franse frietjes?'

'I love Glee, Glee was so amazing.'
Lady Gaga

'*Glee* verheft tranentrekker tot kunstvorm.'
NRC *Next*

'Echt een ontzettend verrassende serie.'
Albert Verlinde

'*Glee* is een gelaagde, goed geschreven serie vol ironie en slimme terzijdes.'
Het Parool

'I thought the Madonna episode of *Glee* was brilliant on every level.'
Madonna

'De tv-show is al aan meer dan twintig landen verkocht.'
Spits

Lees ook

Glee – Het begin

McKinley High School in Lima (Ohio): een groep muur-
bloempjes en buitenbeentjes heeft genoeg van alle vooroor-
delen en pesterijen van de populaire leerlingen en niet te vergeten de cheerleading coach. Onder de bezielende leiding
van meneer Schuester wordt het schoolkoor nieuw leven in
geblazen en ontpoppen de Glee-leden zich stuk voor stuk
tot muzikale talenten. Door het zingen van pop- en musical-
klassiekers van grote sterren groeit hun zelfvertrouwen en
leren ze de hindernissen tussen droom en werkelijkheid te
overwinnen.

ISBN 978 90 488 0823 6